折り紙でつくる四季の素敵な花々

折り花
ORIBANA

田中たか子

河出書房新社

はじめに
Introduction

　この本に掲載されている作品は、私が主宰する「花の折り紙講座」で、受講生の皆様と一緒に制作をし、楽しみながら創り上げた立体折り紙です。今回の出版を機に、「折り花」と呼ぶことにいたしました。

　折り花作品を考えるに当たっては、花屋さんに何度も通って実際の花を見せていただき、また図書館などの専門資料を精査して花弁の形や数、シベ、ガク、葉の形状や付き方などを調べ、本物の花の特徴を把握しようと努めました。

　実際に折りを重ねて花の形にしていく過程では、難なく素早くできあがった作品と、何度も試行錯誤を繰り返し苦労した作品とがあります。終わってみると、どの作品にも本物の花に近づけるための独自の工夫の跡があり、感慨深いです。

　使用した用紙はすべて和紙。その理由は、太陽の光に当たり生き生きと咲く花の生命の輝きを、和紙ならではの微妙な染めの色合いと柔らかな風合いで表現したかったからです。

　また、折り図は、作者の考えを読者に伝える大切なツールです。専門の方と制作の段階からコミュニケーションを密にし、細かく丁寧にわかりやすく書いていただくことができました。

　この本の出版に当たりましては、おりがみ会館の小林一夫館長はじめ、職員の皆様のご指導とご協力をいただきました。心より感謝いたしております。また、編集に携わった多くの方々にも謝意を表します。

　この本で、折り花の世界を少しでも楽しんでいただければ幸いです。

田中たか子
Takako Tanaka

Contents

Let's Make Oribana

Spring

カーネーション ▶p.12

カンパニュラ ▶p.34

ガーベラ ▶p.16

Summer

クレマチス ▶p.40

バラ ▶p.20

アジサイ ▶p.44

フリージア ▶p.28

クチナシ ▶p.48

はじめに ……………… 3
用意する道具 ………… 6
折り方の記号 ………… 7
基本の折り方 ………… 9
正五角形の折り方 …… 10
正六角形の折り方 …… 11
たか子の折り花ギャラリー … 94

アサガオ ▶p.54

ブーゲンビリア ▶p.77

Autumn

フクシア ▶p.60

キキョウ ▶p.82

キク ▶p.66

Winter

ツバキ ▶p.86

皇帝ダリア ▶p.70

シクラメン ▶p.90

用意する道具

▶ **和紙**
和紙は柔らかく、しかもコシがあり丈夫なので、折り花づくりには最適です。いろいろな色や模様の種類があります。花や茎の色に合わせて選びましょう。和紙は大判で売られていることが多いので、必要な大きさに切ってから使います。

▶ **ボンド（クラフト用）**
本書ではのりづけにボンドを使用しています。図中では、のりと表記しています。

▶ **地巻きワイヤー**
花の茎や葉、花芯などに使います。作品によって使う太さや色が異なります。本文中では、太さによって#18ワイヤー、#30ワイヤーのように表記しています。

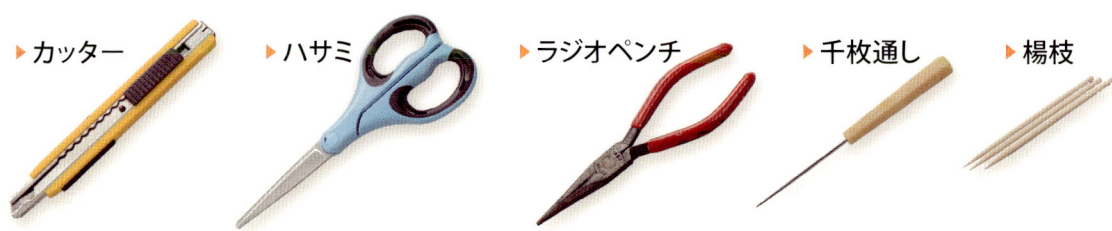

▶ カッター　▶ ハサミ　▶ ラジオペンチ　▶ 千枚通し　▶ 楊枝

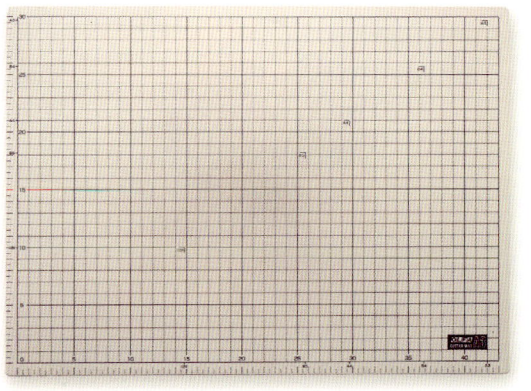

▶ カッターマット　▶ ステンレス定規

▶ 木綿糸　▶ 造花用ペップ

▶ マーカー　▶ 鉛筆（軸の丸いもの）

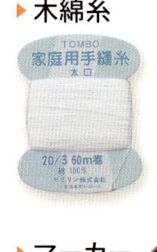

折り方の記号 その1

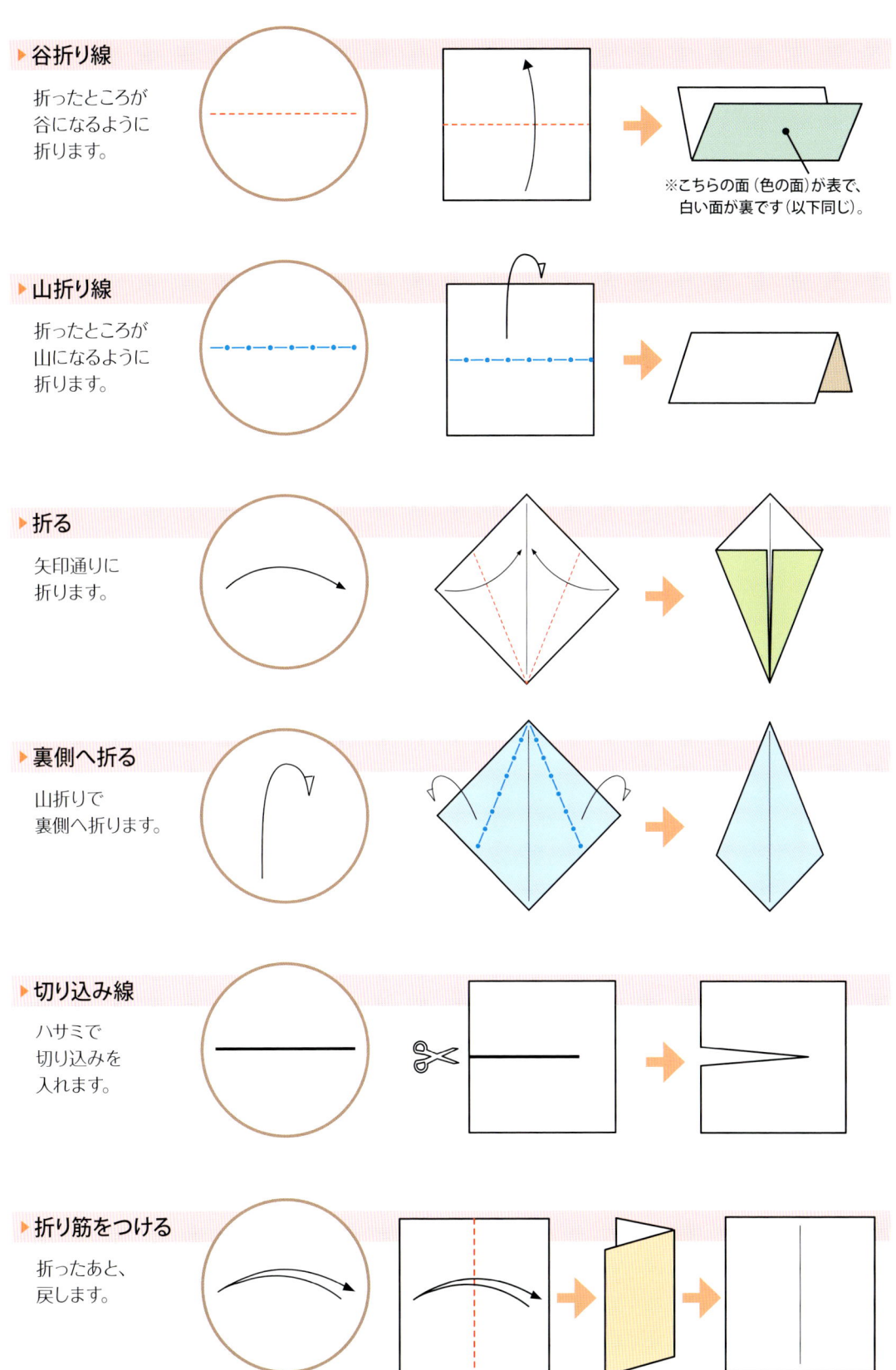

折り方の記号 その2

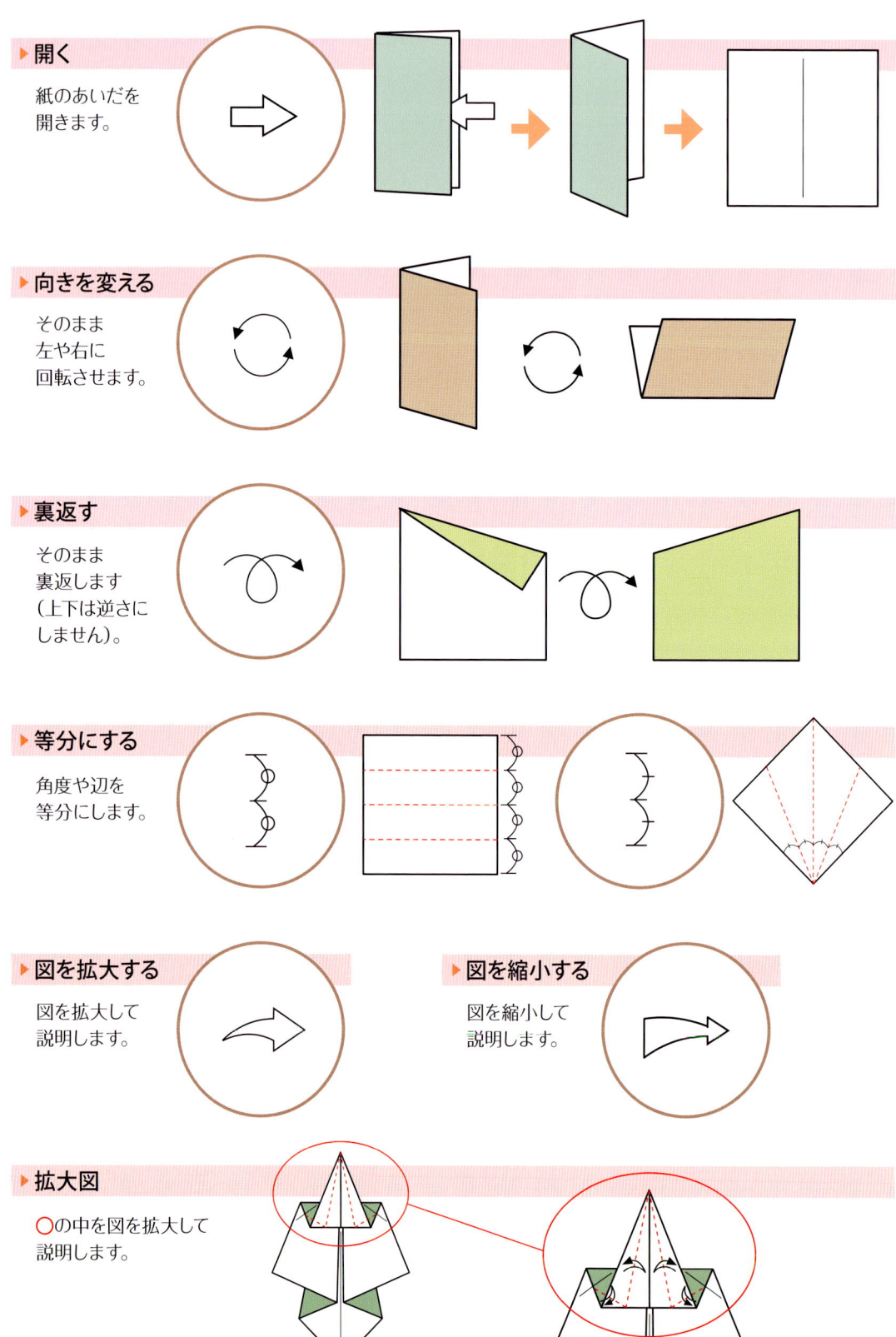

▶ 開く
紙のあいだを開きます。

▶ 向きを変える
そのまま左や右に回転させます。

▶ 裏返す
そのまま裏返します（上下は逆さにしません）。

▶ 等分にする
角度や辺を等分にします。

▶ 図を拡大する
図を拡大して説明します。

▶ 図を縮小する
図を縮小して説明します。

▶ 拡大図
○の中を図を拡大して説明します。

基本の折り方

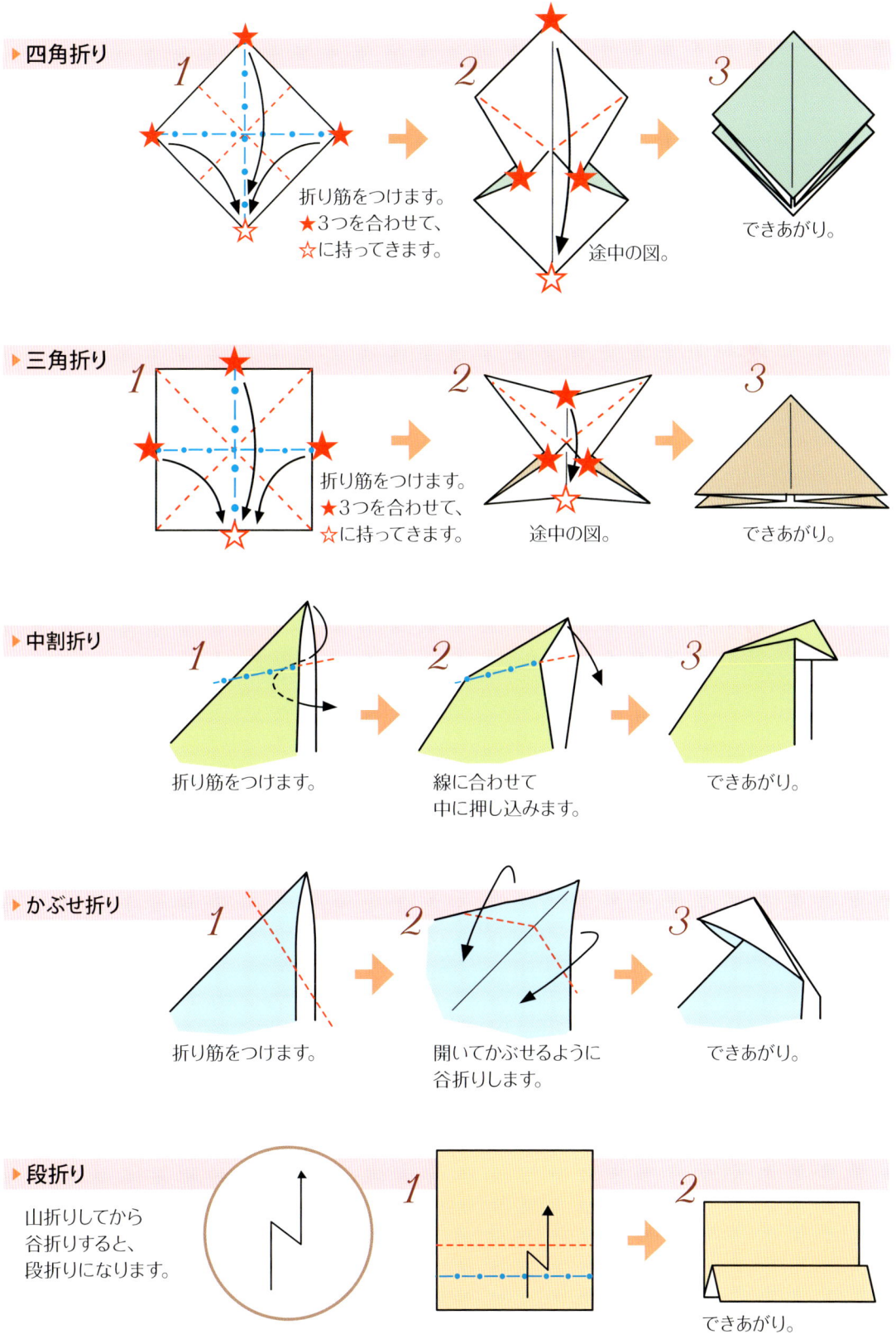

正五角形の折り方

折り紙で正五角形をつくる方法です。
カンパニュラ(p.34)やアサガオ(p.54)などで使います。

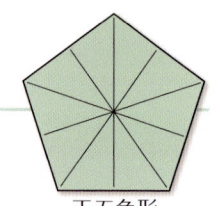

正五角形

1
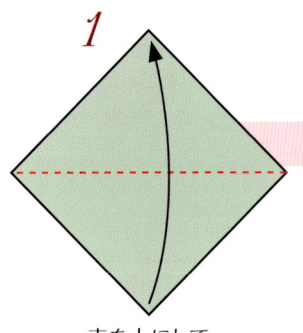

表を上にして
半分に折ります。

2
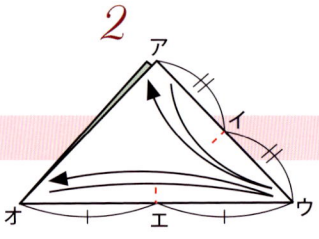

アとウ、ウとオの真ん中に
印(イ、エ)をつけます。

3
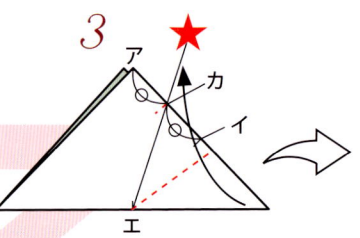

アとイの真ん中に
カの印をつけます。
カとエを結んだ線(★の線)に
合うように角を折ります。

4
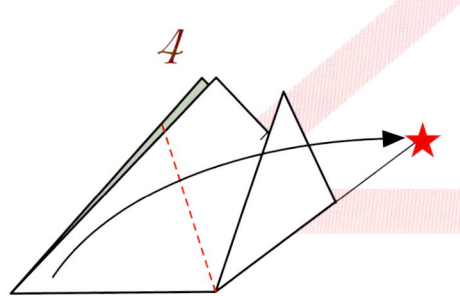

★の線に合うように
左側を折ります。

5
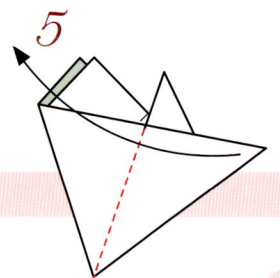

3で折った部分に
合わせて谷折りします。

6
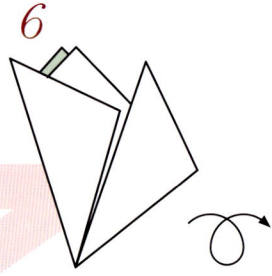

折ったところ。

7
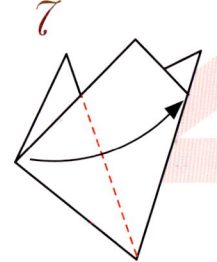

谷折りします。

8

上の1枚のみ
★が☆に合うように
折り筋をつけます。

9
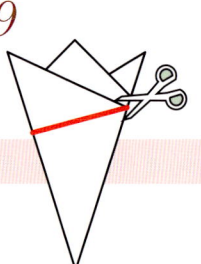

8でつけた折り線で
まとめて切り取り、
開きます。

10
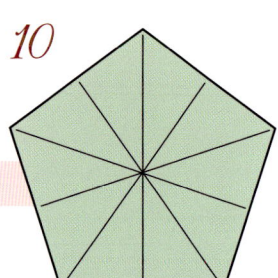

正五角形の
できあがり。

正六角形の折り方

折り紙で正六角形をつくる方法です。
フリージア(p.28)やクチナシ(p.48)などで使います。

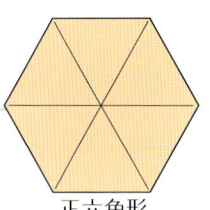

正六角形

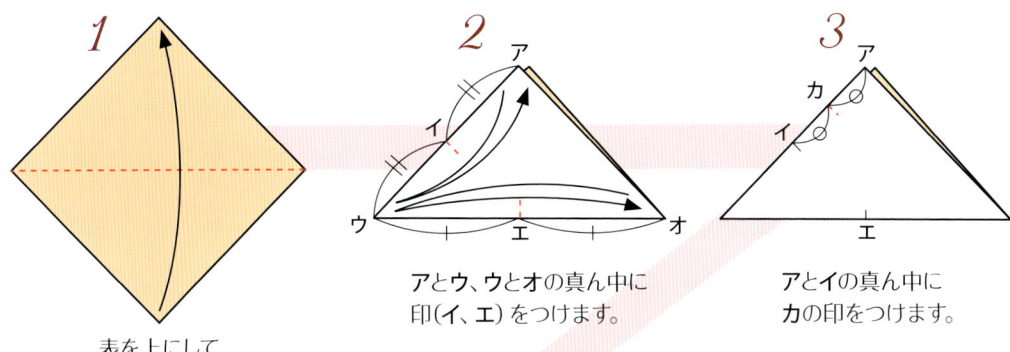

1. 表を上にして半分に折ります。
2. アとウ、ウとオの真ん中に印(イ、エ)をつけます。
3. アとイの真ん中にカの印をつけます。

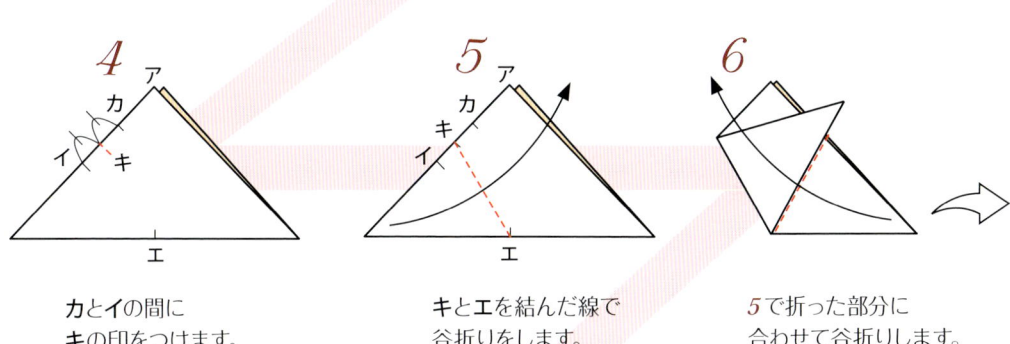

4. カとイの間にキの印をつけます。
5. キとエを結んだ線で谷折りをします。
6. 5で折った部分に合わせて谷折りします。

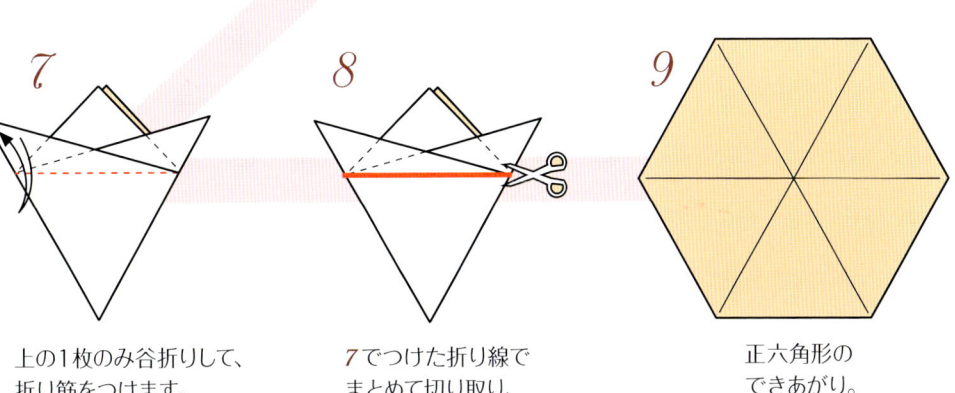

7. 上の1枚のみ谷折りして、折り筋をつけます。
8. 7でつけた折り線でまとめて切り取り、開きます。
9. 正六角形のできあがり。

Spring カーネーション

▶ Information

★紙の種類とサイズ(花1組分):
花…和紙(板締め)　6cm×12cm 5枚
ガク…和紙(板締め)　5cm×5cm 1枚
花の台…習字用和紙 2cm×24cm 1枚
　(ティッシュペーパーでも代用可)
葉…和紙(板締め)　1.5cm×7.5cm 2枚
まとめ用…和紙(板締め)　0.5cm×36cm 1枚

★その他必要なもの:
木綿糸太口(白)　15cm (花用)
#30ワイヤー12cm 2本 (葉用)
#18ワイヤー36cm 1本 (茎用)

Spring カーネーション

花を折る

2〜6まで折り筋をつけるときに必ず紙を揃えて折ると、きれいに仕上がります。
2からはわかりづらいので1枚のように表示しています。

1
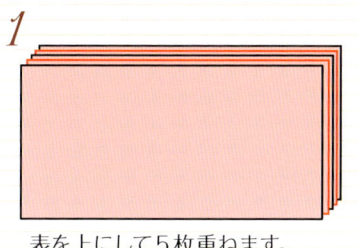
表を上にして5枚重ねます。

2
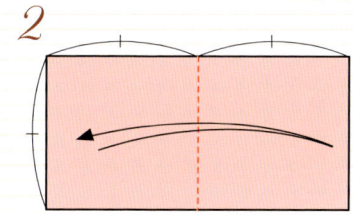
半分に折って
折り筋をつけます。

3
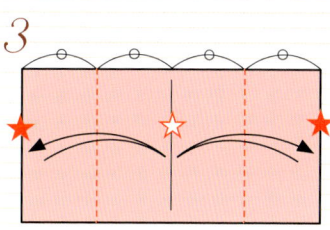
★が☆に合うように
折り筋をつけます。

4
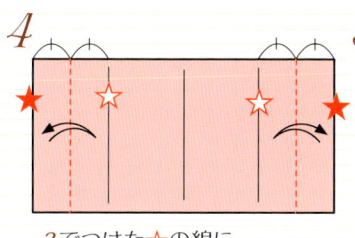
3でつけた☆の線に
★が合うように
折り筋をつけます。

5
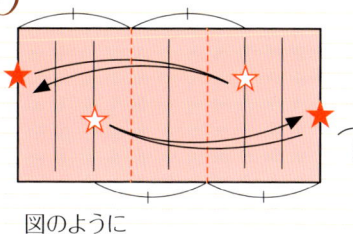
図のように
★が☆に合うように
折り筋をつけます。

6
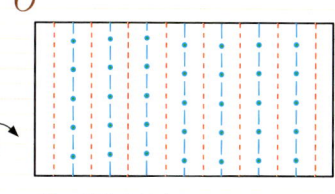
2〜5でつけた
折り筋と折り筋の
あいだを谷折りします。
両側は端と折り筋の
あいだを谷折りします。

7
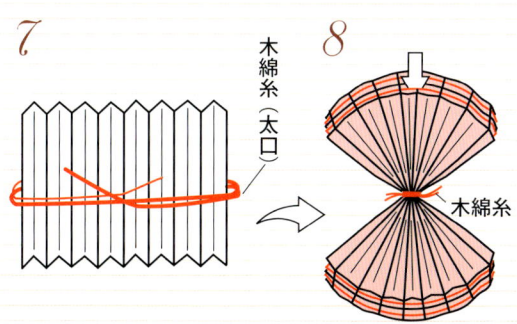
5枚まとめて中心あたりを
糸で巻いて
強く締めて結びます。

8
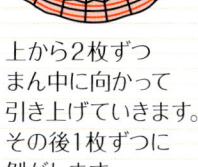
木綿糸(太口)
木綿糸
上から2枚ずつ
まん中に向かって
引き上げていきます。
その後1枚ずつに
剥がします。

9

1枚ずつ引き上げたところ。
○の中の糸が
見えないように
まわりの紙を引き上げます。
糸

10

花のできあがり。

花の台をつくる

花と茎をつなげるための台をつくります。

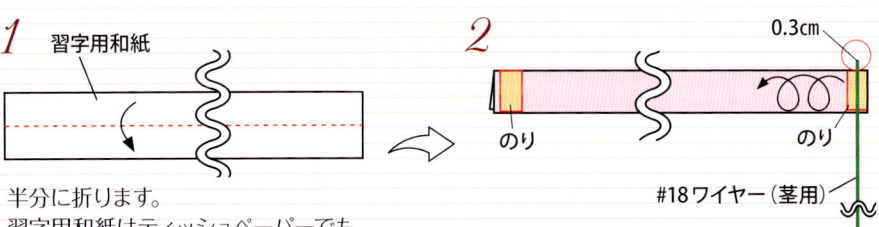

1 習字用和紙

半分に折ります。
習字用和紙はティッシュペーパーでも
代用できます（裂きやすい方向に裂き、
指定のサイズに切り取って使います。
足りない場合は継ぎ足してください）。

2 のり　0.3cm　のり　#18ワイヤー（茎用）

#18ワイヤー（茎用）を
紙の上から約0.3cm飛び出して置き、
のりをつけながら巻きます。

3 花の台の
できあがり。

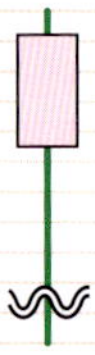

ガクを折り、花につける

ガクを折り、花のワイヤーを差し込みます。

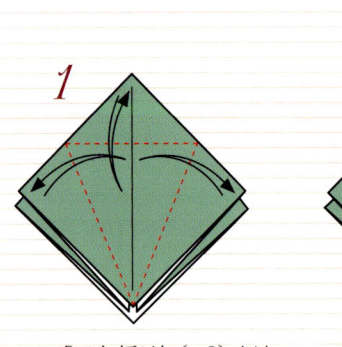

1 「四角折り」（p.9）より
折り筋をつけます。
裏も同様に。

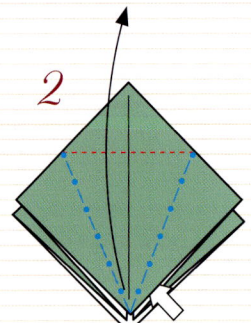

2 上の1枚のみ
あいだを開いて
たたみます。

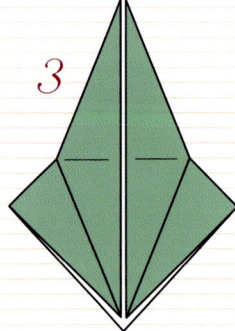

3 たたんだところ。
裏も同様に。

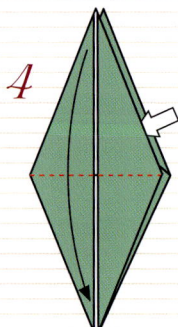

4 あいだを開いて
谷折りします。
裏も同様に。

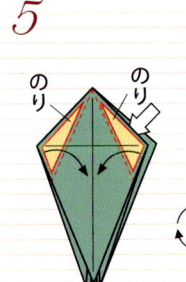

5 のり　のり

まん中の線に
合うように
両側を折り、
のりづけします。
裏も同様に。

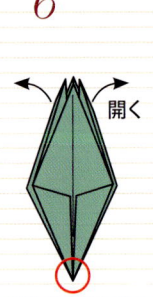

6 開く

上を少し開き、
○の部分に
千枚通しなどで
穴を開けます。

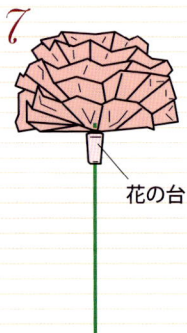

7 花の台

花の台の先と、
飛び出しているワイヤーに
のりをつけて、
花の中心に
下から差し込み、
のりづけします。

8 ガク

花の台の外側に
のりをつけます。
ワイヤーをガクの中心に通し、
ガクと台をのりづけします。

裏から見たところ

14

葉を折る

葉を2枚折ります。

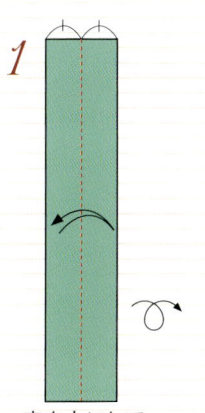

1 表を上にして半分に折り折り筋をつけます。

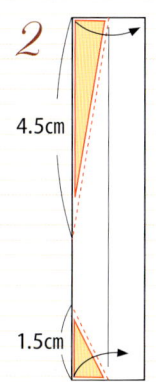

2 図の位置で谷折りしのりづけします。

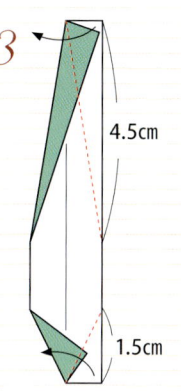

3 図の位置で谷折りします。

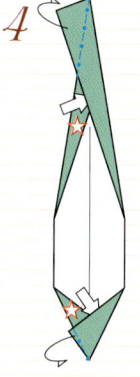

4 あいだを開いて☆部分からはみ出たところを上は細かく山折りし、下は少し山折りしてのりづけします。

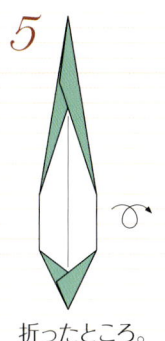

5 折ったところ。

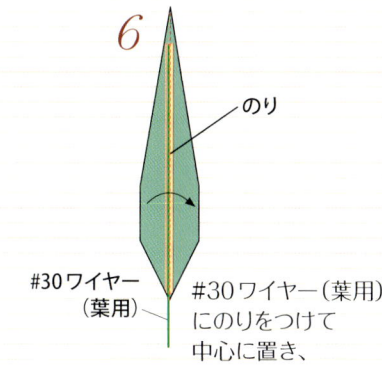

6 #30ワイヤー（葉用）にのりをつけて中心に置き、谷折りします。

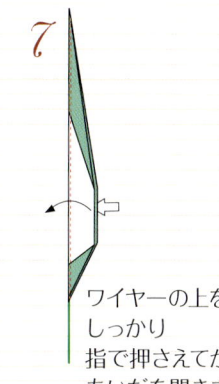

7 ワイヤーの上をしっかり指で押さえてからあいだを開きます。

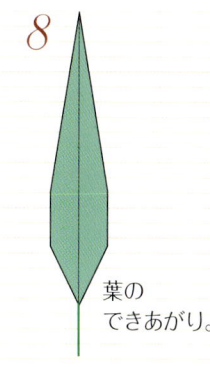

8 葉のできあがり。

仕上げる

茎に葉をつけて、仕上げます。

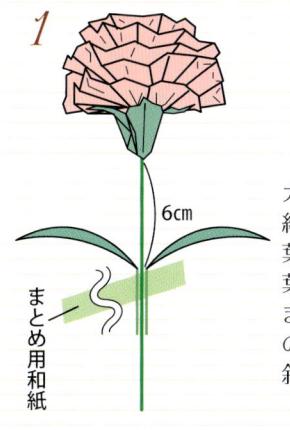

1 ガクの下、約6cmのところに葉を2枚つけます。葉2枚を茎のワイヤーに添えて、まとめ用の和紙でのりづけしながら斜めに巻きます。

2 葉を丸める

Let's Make Oribana 2
Spring ガーベラ

▶ Information

★紙の種類とサイズ（花1個分）：
花大（外側）…和紙（楮）7cm×7cm 5枚
花小（内側）…和紙（楮）6cm×6cm 5枚
花芯…花芯のサイズと重ね方の表参照

★その他必要なもの：
#18ワイヤー12cm 1本（花芯用）

花を折る

花大（外側）、花小（内側）ともに折り方は共通です。

1
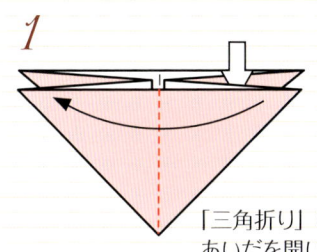

「三角折り」(p.9) より
あいだを開いて
右側の1組を
左側に倒します。

2
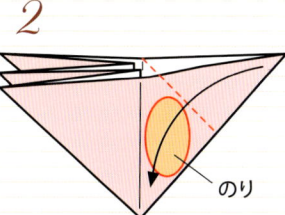

右側の1組を
三角に折って
しっかりのりづけします。

のり

3
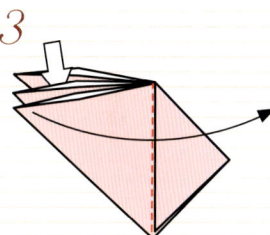

左側の2組を
右側に倒します。

4
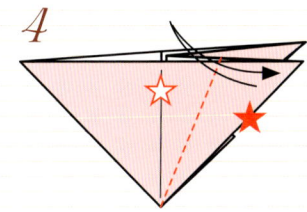

上の1組のみ
★が☆に合うように
折り筋をつけます。

5
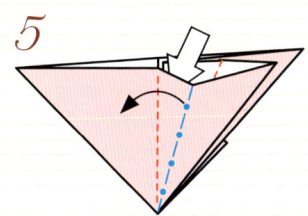

4でつけた折り筋で
あいだを開いて
つぶします。

6
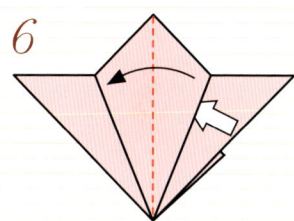

5で開いたところを
半分に折ります。

7
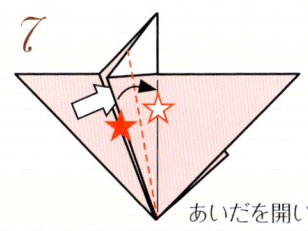

あいだを開いて★が☆に
合うように折ります。

8
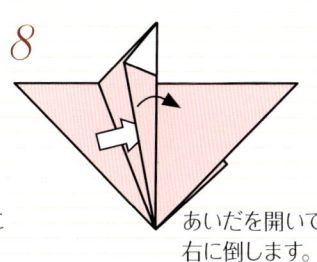

あいだを開いて
右に倒します。

9
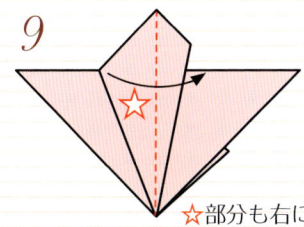

☆部分も右に倒して
6〜8まで
同様にします。

10
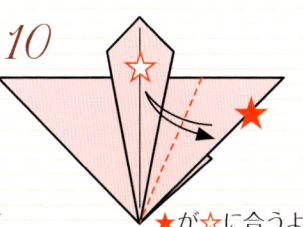

★が☆に合うように
折り筋をつけます。

11
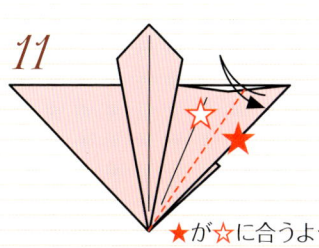

★が☆に合うように
折り筋をつけます。

12
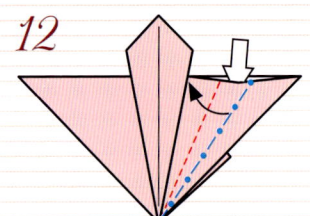

10、11でつけた折り筋で
あいだを開いて
つぶします。

13

☆部分も10〜12まで
同様にします。

14

折ったところ。
花1個につき大5枚、
小5枚をつくります。

15

図の三角部分に
のりをつけて
花びら大5枚を貼り、
丸くします。

16

花びら大5枚を
重ねたところ。

17
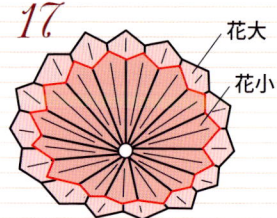

花大の上に花小を重ねます。
花びらの重ね方に変化をつけると、
花の趣が変わります
(p.19「仕上げる」参照)。

花芯をつくる

花芯の紙のサイズはp.19を参照してください。

1
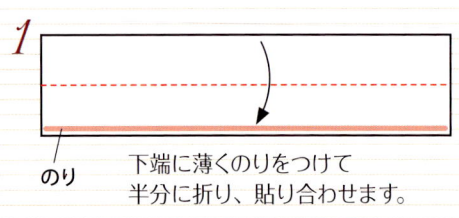

下端に薄くのりをつけて
半分に折り、貼り合わせます。

2
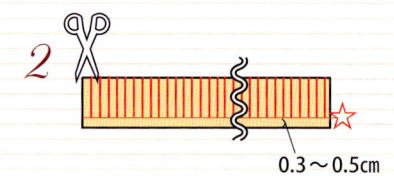

下を少し残して
☆の線まで切り込みを入れていきます。
花芯A、B、Cとも同様にします。

3
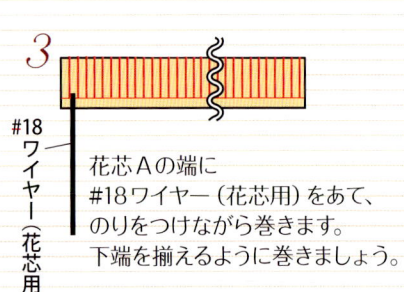

花芯Aの端に
#18ワイヤー(花芯用)をあて、
のりをつけながら巻きます。
下端を揃えるように巻きましょう。

4
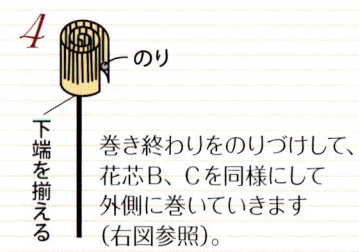

巻き終わりをのりづけして、
花芯B、Cを同様にして
外側に巻いていきます
(右図参照)。

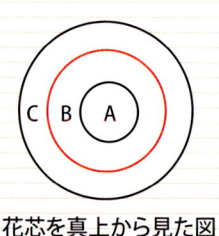

▶花芯を真上から見た図

仕上げる

花に花芯をつけて仕上げます。

1
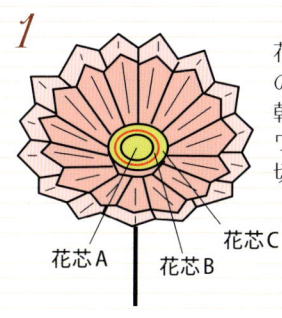
花芯を花の中心に差し込み、のりづけします。乾いたら、ワイヤーの根元を切り取ります。

花芯A　花芯B　花芯C

2

できあがり。下図のように、お好みで花びらの重ね方を変えてみましょう。

◆ 花びらの重ね方を変える

花びらの重ね方を変えると、違った表情のガーベラになります。
下図と下の写真を参考に、いろいろな重ね方で仕上げてみましょう。

重ね方 ア

花大のみで一重のもの。

重ね方 イ

花大と花小の花びらの角をずらしたもの。

重ね方 ウ
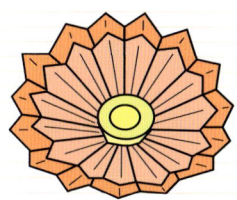
花大と花小の花びらの角をそろえたもの。

◆ 花芯の色や大きさを変える

花びらだけでなく花芯の色や大きさ、重ね方を変えると、さらに表情の違うガーベラがつくれます。
下に花芯の紙のサイズの例を表に示しましたので、参考にしてください。

重ね方	花芯の紙のサイズ
ア	花芯A…和紙(楮)　1.5cm×28.5cm　1枚 花芯B…和紙(楮)　2cm×21cm　1枚 花芯C…和紙(楮)　2.5cm×21cm　1枚
イ	花芯A…和紙(楮)　1.5cm×31.5cm　1枚 花芯B…和紙(楮)　2.5cm×30cm　1枚 花芯C…和紙(楮)　3cm×30cm　1枚
ウ	花芯A…和紙(楮)　1.5cm×31.5cm　1枚 花芯B…和紙(楮)　3cm×31.5cm　1枚 花芯C…なし

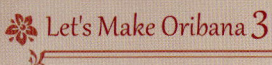

Spring バラ

▶ Information

★紙の種類とサイズ（花1組分）：

花びら…和紙（強制紙）　1段め 3cm×6cm 3枚、
　　　　　　　　　　　2段め 4cm×8cm 5枚、3段め 5cm×10cm 7枚、
　　　　　　　　　　　4段め 6cm×12cm 9枚
花芯…和紙（強制紙）　2.5cm×6cm 1枚
ガク…和紙（板締め）　7.5cm×7.5cm 2枚
葉…和紙（板締め）　小 3cm×3cm 4枚、
　　　　　　　　　中 3.5cm×3.5cm 4枚、大 4cm×4cm 2枚
まとめ用…和紙（板締め）　0.5cm×63cm 1枚

★その他必要なもの：

#18ワイヤー 36cm 1本（花芯用）
#30ワイヤー 9cm 10本（葉用）
#24ワイヤー 36cm 2本（枝用）

花びらを折る

花びらを、サイズ違いで計24枚折ります。

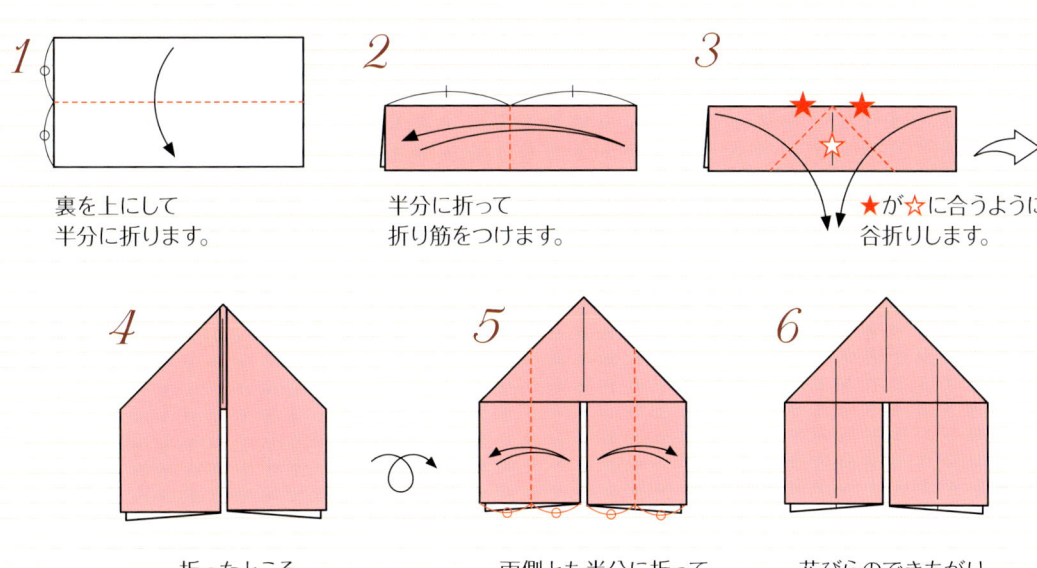

1　裏を上にして半分に折ります。
2　半分に折って折り筋をつけます。
3　★が☆に合うように谷折りします。
4　折ったところ。
5　両側とも半分に折って折り筋をつけます。
6　花びらのできあがり。24枚つくります。

花芯をつくる

花芯をつくります。

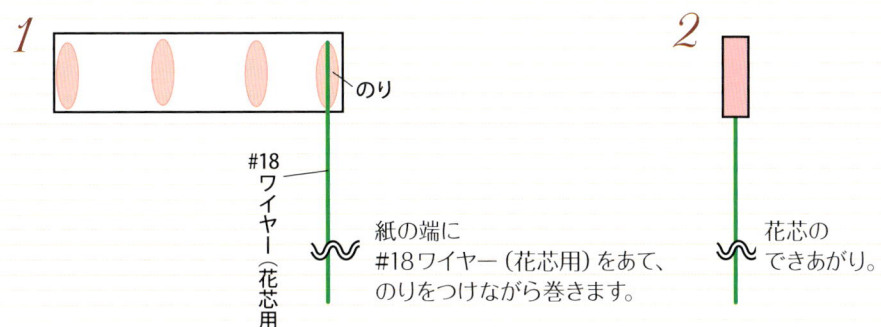

1　のり／#18ワイヤー（花芯用）／紙の端に#18ワイヤー（花芯用）をあて、のりをつけながら巻きます。
2　花芯のできあがり。

花をつくる

花芯と花びらを組み立てていきます。
下の写真では、わかりやすいように花芯と花びらの色を変えています。

1

1段めの花びら3枚を組んでいきます。花びらを裏返します。

2

☆部分にのりをつけます。
☆を★の下に差し込んで貼ります。

3

貼ったところ。裏返します。

4

☆と★のあいだを開いて
★を折り線通りに折ります。

5

4で折ったところに、のりをつけて戻します。

6

しっかり貼ります。

7
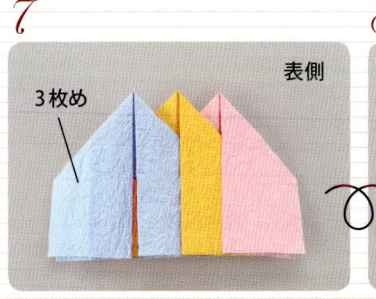
2〜6まで同様にして、3枚めを貼り合わせます。裏返します。

8

⬜の部分を
端から細かくたたんでいきます。

9

ギャザーを寄せたところ。8の状態に少し戻して、3枚を丸くします。

10

★の下を少し開いて
2と同様に☆を差し込みます。

11

2と同様にのりをつけて
しっかり貼ります。

12

貼り合わせたところ。
しっかり根元を押さえます。

13
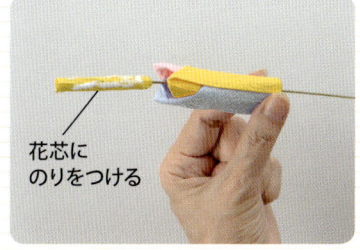
花びらの中心に、花芯のワイヤーを通します。

14
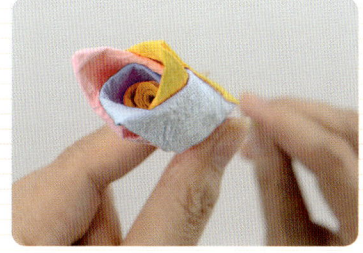
花びらの根元まで、しっかり差し込みます。

15

根元にのりを多めにつけて、根元を絞ります。

16

花びらを外側にめくります。

17
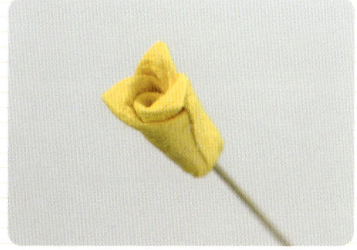
実際には、このように花芯と花びらを同色でつくります。

18
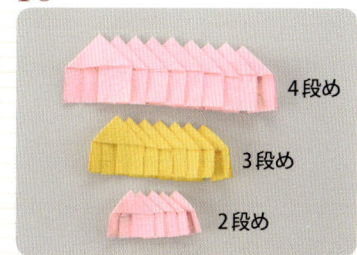
2〜4段めの花びらを1〜12と同様にして貼り合わせます。

19
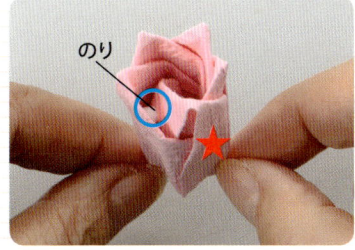
2〜4段めは、最後に差し込んだ★の隣の○の中にのりをつけます。

20

花芯の○部分にのりをつけて差し込み、しっかりつけます。

21

花びらを外側にめくります。2段めのできあがり。

22

花の根元が平らになるようにしっかり押さえます。

23

3段め、4段めも同様にして、貼り合わせます。

24

のりをつけて、根元が平らになるように押さえます。

ガクを折り、花につける

ガクをAとBの2種類つくり、花のワイヤーにガクを貼り合わせます。

◆ガクAの折り方

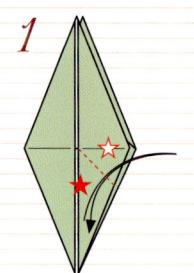

1

「カーネーション」
(p.14)の*4*より、
★が☆に合うように
折り筋をつけます。

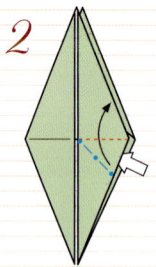

2

あいだを開いて
つぶします。

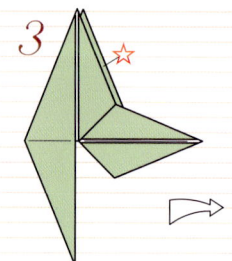

3

つぶしたところ。
左側も*1*〜*2*と
同様にします。
裏側(☆)を下ろします。

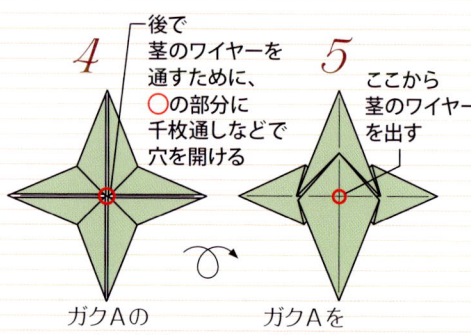

4

後で
茎のワイヤーを
通すために、
○の部分に
千枚通しなどで
穴を開ける

ガクAの
できあがり。

5

ここから
茎のワイヤー
を出す

ガクAを
裏返したところ。

◆ガクBの折り方

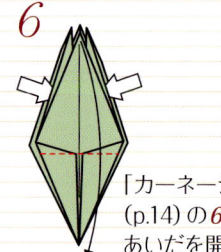

6

「カーネーション」
(p.14)の*6*より、
あいだを開きながら
1枚を手前に折ります。

7

(途中図)
両側の☆を
左右に開いて
つぶします。

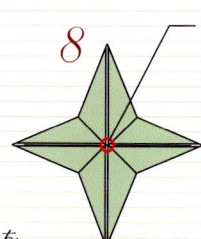

8

後で
茎のワイヤーを
通すために、
○の部分に
千枚通しなどで
穴を開ける

ガクBの
できあがり。

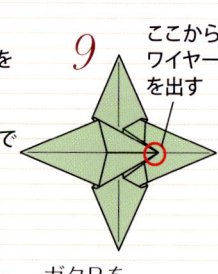

9

ここから
ワイヤー
を出す

ガクBを
裏返したところ。

10

ガクAの○部分(*4*〜*5*参照)に、
千枚通しで穴を開けます。

11

裏返して、中心にのりをつけます。

12

花のワイヤーにガクAを通します。

13

ガクBの○部分(*8*〜*9*参照)に、
千枚通しで穴を開けます。

14

*11*と同様にのりをつけ、ガクAの上
に貼り合わせます。

15

ガクを貼ったところ。

葉を折って組み立てる

葉を、葉小4枚、葉中4枚、葉大2枚の計10枚折り、5枚1組の葉を計2組つくります。

葉を折る

1

表を上にして
半分に折ります。

2

8等分して下から順に
段折りします。

3

折ったところ。
開きます。

4

ワイヤーに
のりをつけて
中心に置き
谷折りします。

5

ワイヤーの上を
指でしっかり押さえて
あいだを開きます。

6

両側を山折りして
のりづけします。

7

図の部分を
谷折りして角を取り
のりづけします。

8

折ったところ。

葉を組み立てる

1

葉のできあがり。

2

葉大のワイヤーに#24ワイヤー（枝用）を重ねて、のりをつけます。

3

まとめ用の和紙で、2本のワイヤーをまとめて巻きつけていきます。

4

葉の下、1.5cmほどまで巻きます。

5

枝の両脇に葉中を2枚添え、のりをつけ、まとめ用の和紙で巻きます。

6

同様にして葉小も2枚巻きつけます。これを計2組つくります。

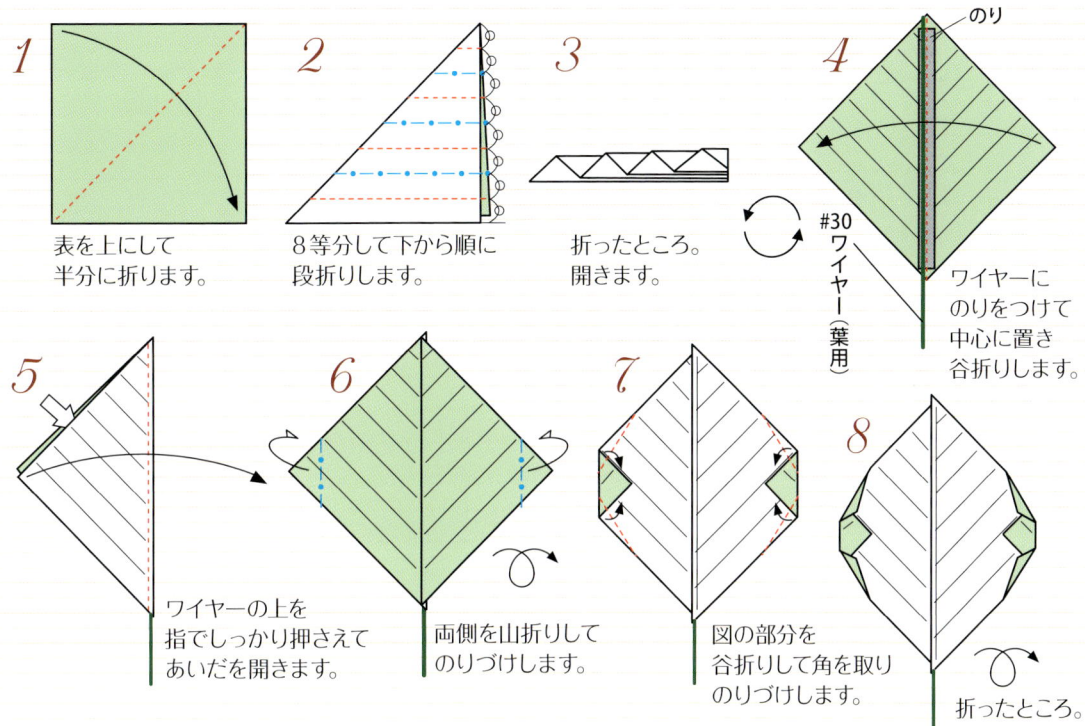

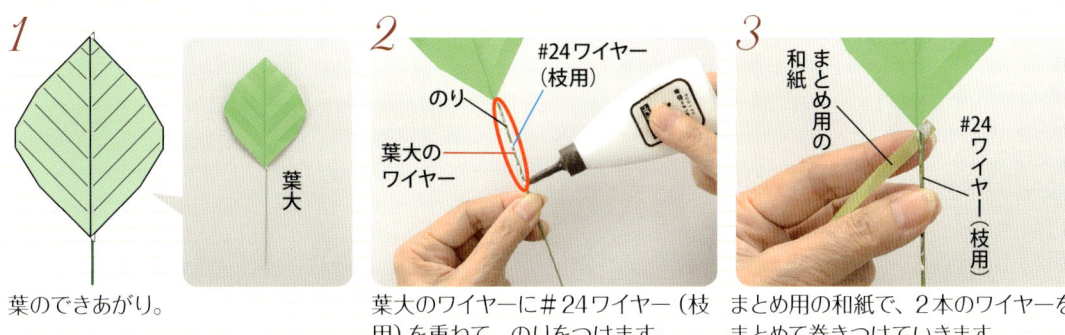

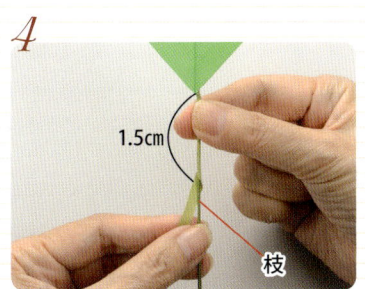

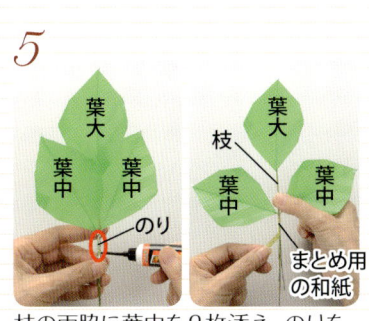

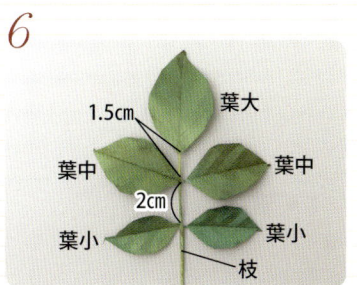

仕上げる

花と葉を組み立てて仕上げます。

1

葉の枝の下部を花の茎に添えます。まとめ用の和紙で巻きつけます。

2

のりをつけながら、5cmほど巻きつけます。

3

さらにもう1組の葉を添えて *2* と同様に和紙で巻いていきます。

4
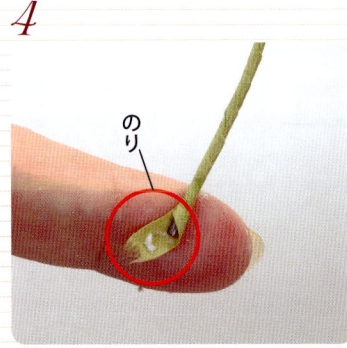
茎のワイヤーの一番下まで巻き、巻き終わりにのりをつけます。

5

ワイヤーの根元が隠れるように、巻き留めましょう。

6

できあがり。
葉の枚数は、
お好みで増減してください。

Spring フリージア

Let's Make Oribana 4

▶ Information

★紙の種類とサイズ（花1組分）：

花…和紙（板締め）　5cm×5cm 2枚、
　　　　6cm×6cm 2枚、7cm×7cm 3枚、8cm×8cm 3枚
ガク…和紙（板締め）　小 1.5cm×1.5cm 4枚、
　　　　大 2cm×2cm 6枚
葉…和紙（板締め）　小 13cm×4cm 1枚、
　　　　中 21cm×4cm 2枚、大 28cm×4cm 1枚
まとめ用…和紙（板締め）　0.5cm×63cm 1枚

★その他必要なもの：

#28ワイヤー 9cm 10本（花用）
#28ワイヤー 19cm 1本（葉小用）
#26ワイヤー 36cm 3本（葉中・葉大用）
#18ワイヤー 36cm 1本（茎用）

花を折る

花の紙は六角形に切り取り開きます(p.11)。花はサイズ違いで計10個折ります。

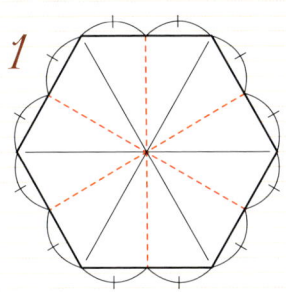

1

裏を上にして図の位置に
谷折りの折り筋をつけます。

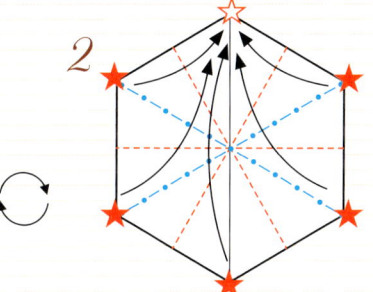

2

折り筋をつけ直して
★が☆に合うように
たたみます。

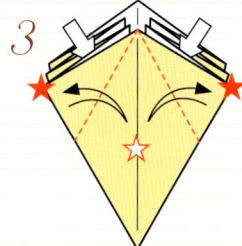

3

あいだを開いて
両側とも上の1組のみ
★が☆に合うように
折り筋をつけます。

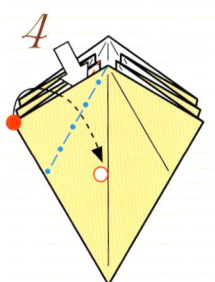

4

あいだを開いて
●が○に合うように
*3*でつけた折り筋を山折りして
中に入れます。

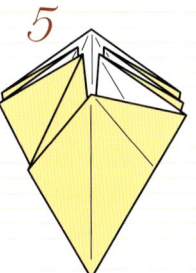

5

折ったところ。
残り5カ所も
3～*4*と同様に
折ります。

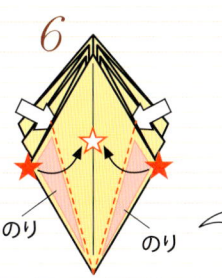

6

両側ともあいだを開いて
上の1組のみ
★が☆に合うように
谷折りし、のりづけします。

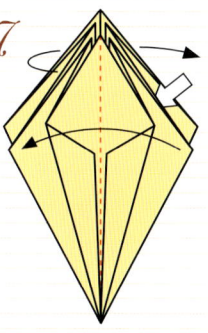

7

あいだを開いて
谷折りします。
裏も同様に。

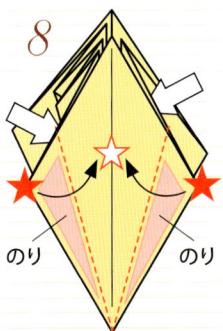

8

*6*と同様に折り、
のりづけします。
裏も同様に。

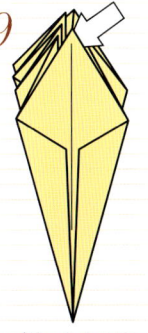

9

折ったところ。
上を少し開きます。

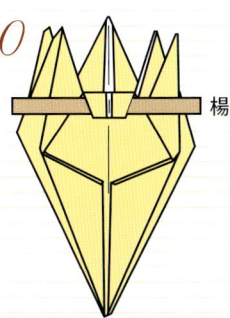

10

楊枝などで
花びらを6枚とも
外側に巻きます。

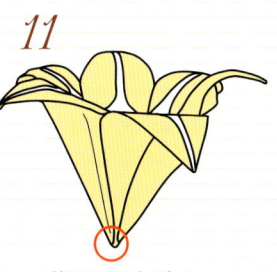

11

花のできあがり。
後で茎を通すため、
○の部分に
千枚通しなどで
穴を開けます。

29

ガクを折る

ガクを小4枚、大6枚、計10個折ります。

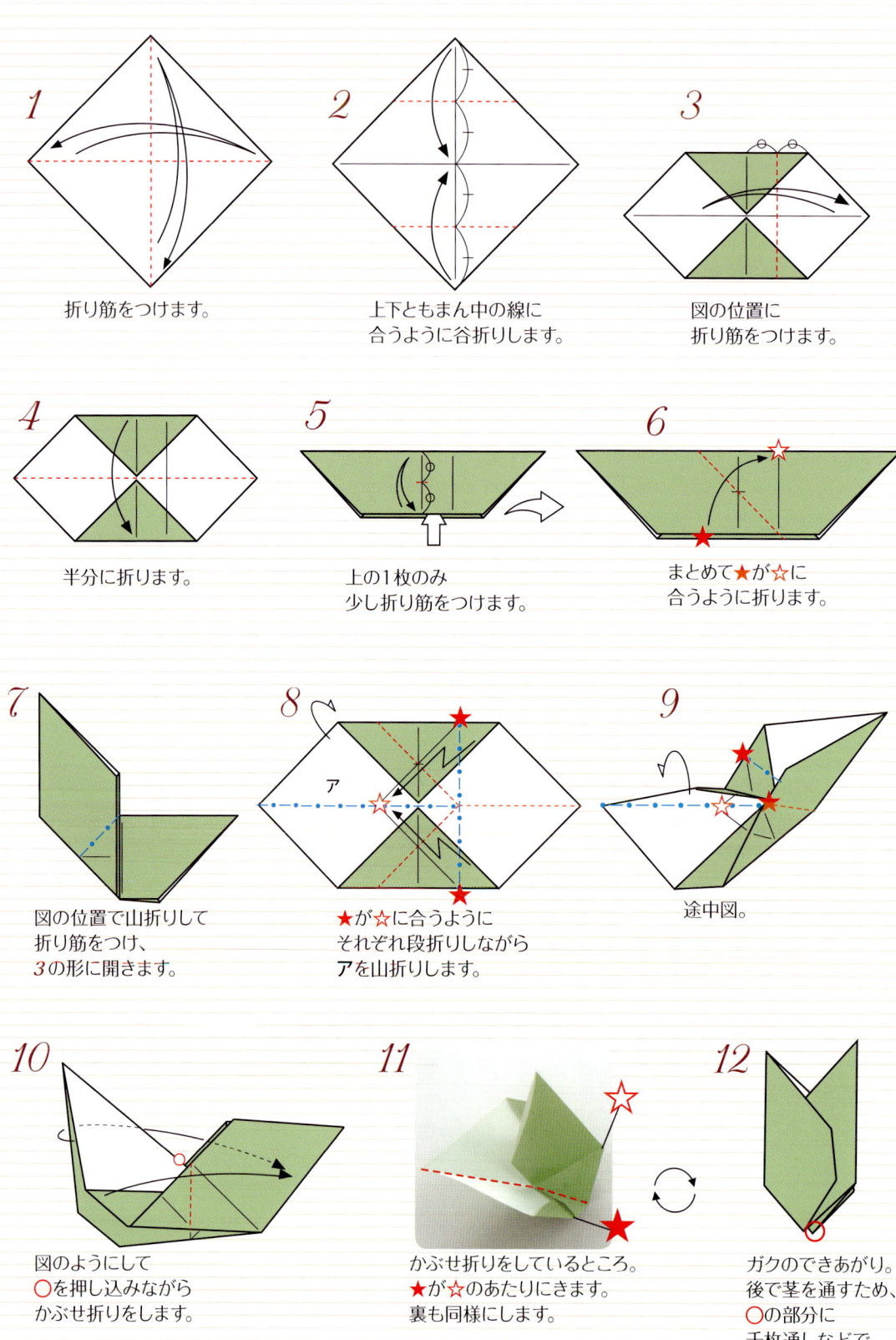

葉を折る

葉を小1枚、中2枚、大1枚、計4枚折ります。

1 半分に折って折り筋をつけます。

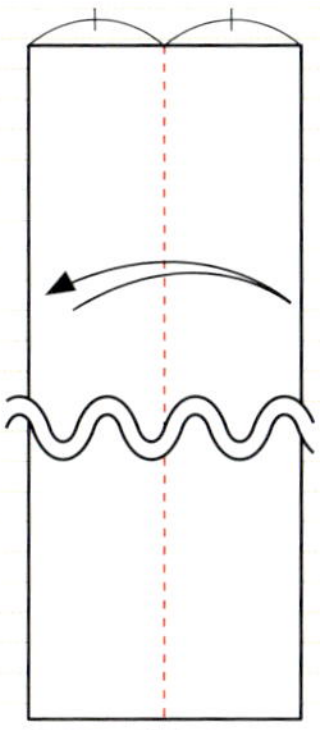

2 ★が☆に合うように折り筋をつけます。

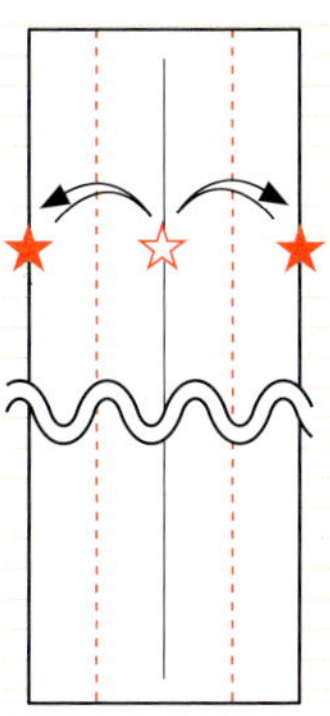

3 ★が☆に合うように三角に折ってのりづけします。

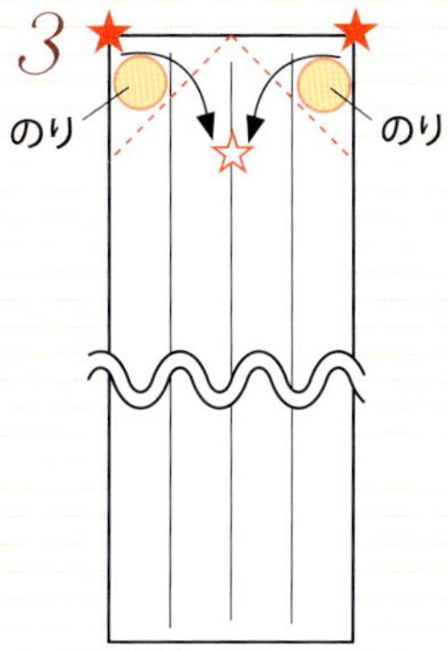

4 *2*でつけた折り線で谷折りします。

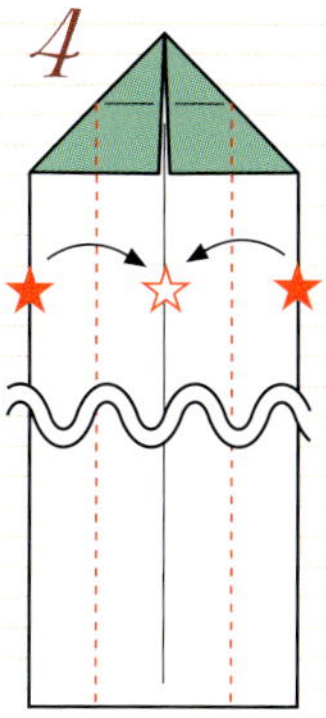

5 *3*と同様に三角に折ってのりづけします。

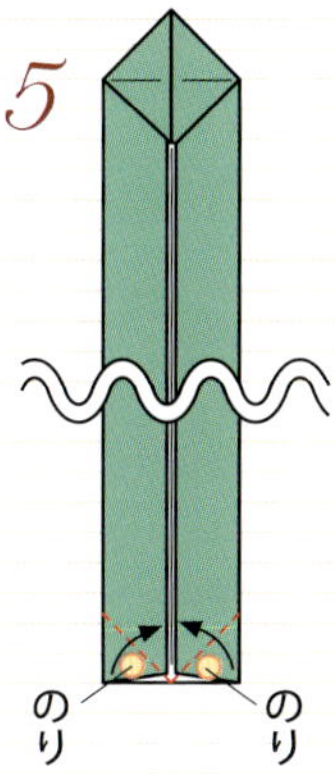

6 ○の中の角を4カ所とも少し谷折りしてのりづけします。

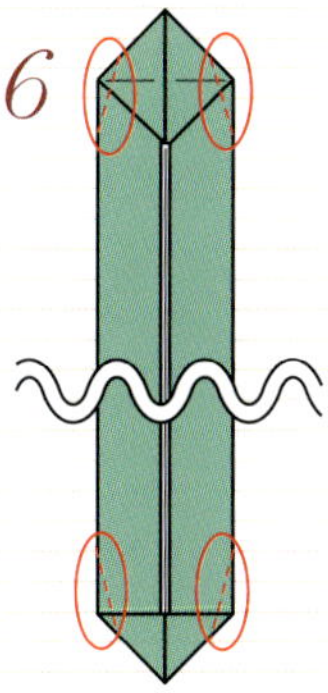

7 ワイヤーにのりをつけて中心に置き谷折りします。
#28ワイヤー（葉小用）
#26ワイヤー（葉中・葉大用）

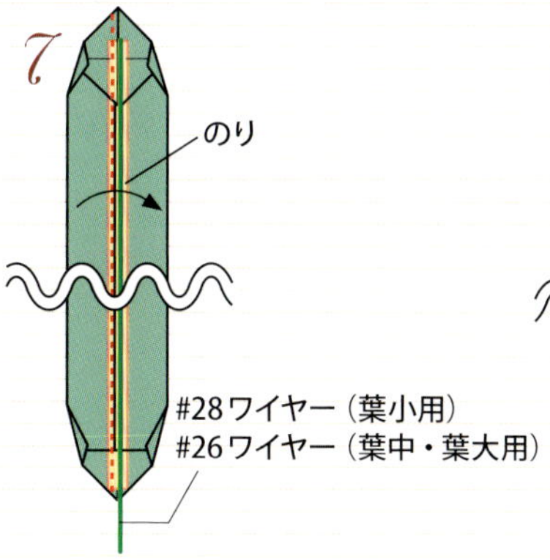

8 ワイヤー部分を押さえてできあがり。

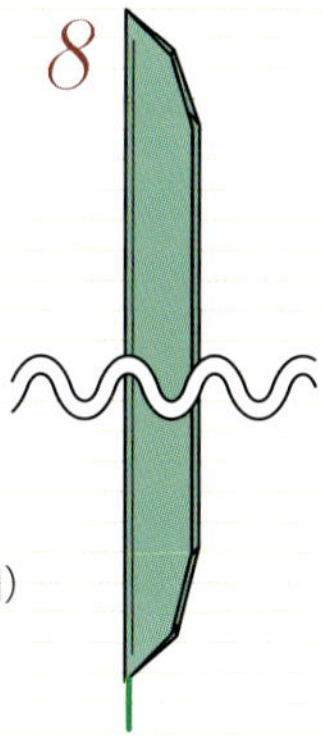

ガクを花につける

花とガクをワイヤーでつなぎます。これを10組つくります。

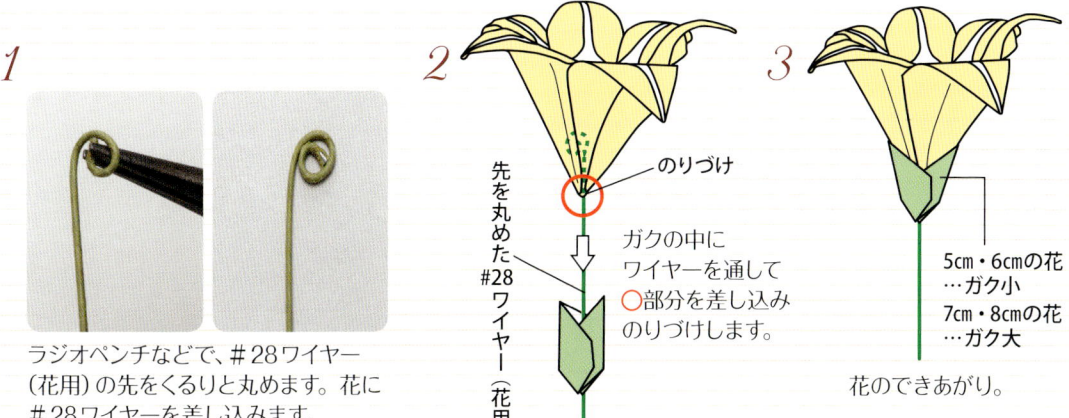

1 ラジオペンチなどで、#28ワイヤー（花用）の先をくるりと丸めます。花に#28ワイヤーを差し込みます。

2 先を丸めた#28ワイヤー（花用）／のりづけ／ガクの中にワイヤーを通して○部分を差し込みのりづけします。

3 5cm・6cmの花…ガク小／7cm・8cmの花…ガク大／花のできあがり。

仕上げる

10個の花を、小さい花から順に茎のワイヤーにつけ、葉をつけて仕上げます。

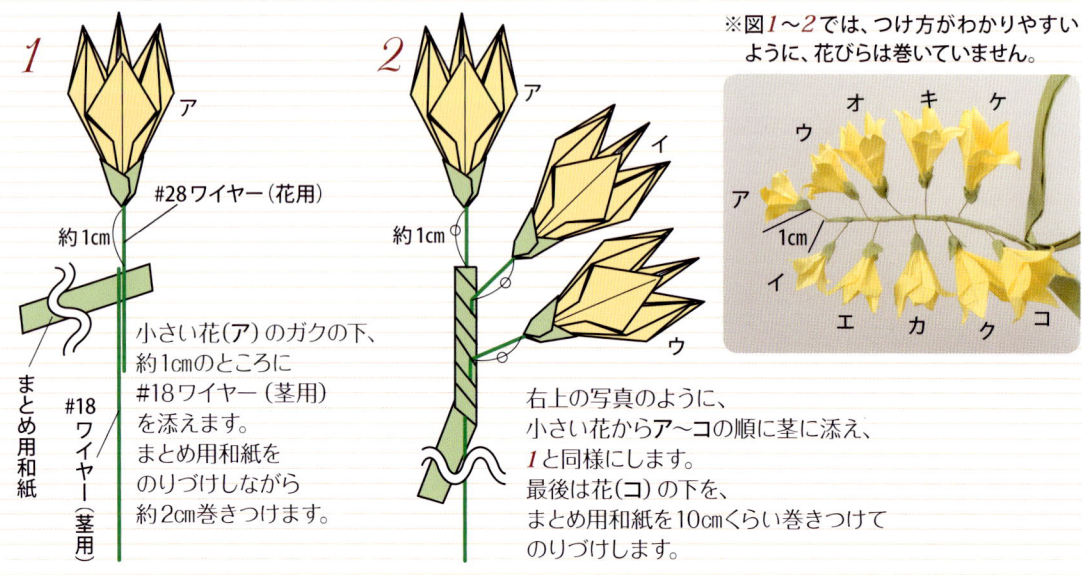

1
#28ワイヤー（花用）
約1cm
まとめ用和紙
#18ワイヤー（茎用）

小さい花（ア）のガクの下、約1cmのところに#18ワイヤー（茎用）を添えます。まとめ用和紙をのりづけしながら約2cm巻きつけます。

2
ア
イ
ウ
約1cm

右上の写真のように、小さい花からア～コの順に茎に添え、*1*と同様にします。最後は花（コ）の下を、まとめ用和紙を10cmくらい巻きつけてのりづけします。

※図*1*～*2*では、つけ方がわかりやすいように、花びらは巻いていません。

3
茎につけた花は写真のように互い違いに並べて形を整えます。

4
約1cm　約8cm
別角度から見たところ。

5
花のついた茎を左写真のように少し曲げます。葉小から順に右図の位置で茎につけ、そのまま茎用和紙で巻いてのりづけします。
☆部分（葉の根元）は、葉のあいだを少し開いて茎を挟み込み、のりづけします。できあがり。

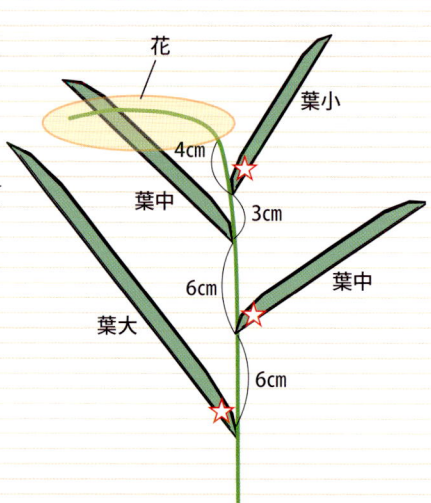

花
葉小
4cm
葉中
3cm
葉中
6cm
葉大
6cm

Spring カンパニュラ

Let's Make Oribana 5

▶ Information

★紙の種類とサイズ（花1組分）：
花…和紙（板締め） 大15cm×15cm 2枚、
　　　　　　　　 小13cm×13cm 4枚
つぼみ…和紙（板締め） 4.5cm×4.5cm 7枚
花芯（花とつぼみ共用）…和紙（板締め） 1cm×5cm 13枚
ガク（花とつぼみ共用）…和紙（板締め） 4.5cm×4.5cm 13枚
葉…和紙（板締め） 小 2.5cm×5cm 6枚、
　　　　　　　　 大 2.5cm×5.5cm 2枚
まとめ用…和紙（板締め） 0.5cm×63cm 1枚

★その他必要なもの：
#26ワイヤー12cm 13本（花芯用）
（花とつぼみ共通）
#30ワイヤー9cm 8本（葉用）
#18ワイヤー36cm 1本（茎用）

カンパニュラ

花を折る

花の紙は五角形に切り取り開きます(p.10)。花は、小4個、大2個の計6個折ります。

1 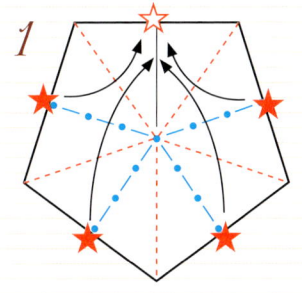
★が☆に合うように
折り線をつけ直して
たたみます。

2 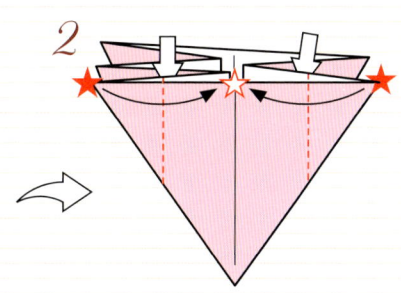
両側ともあいだを開いて
上の1組のみ★が☆に
合うように折ります。

3 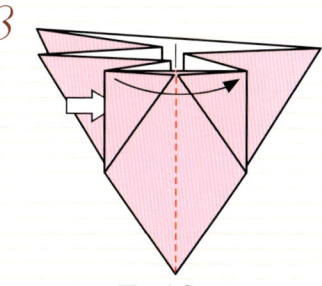
図のように
右に倒します。

4 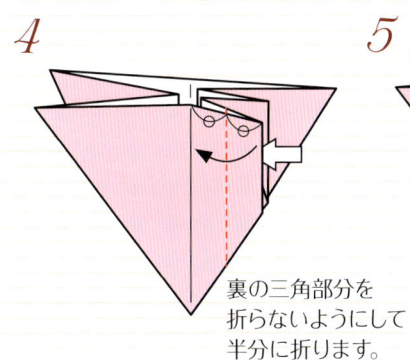
裏の三角部分を
折らないようにして
半分に折ります。

5 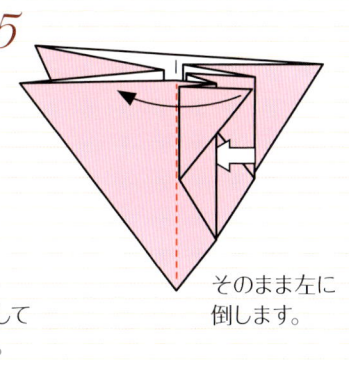
そのまま左に
倒します。

6 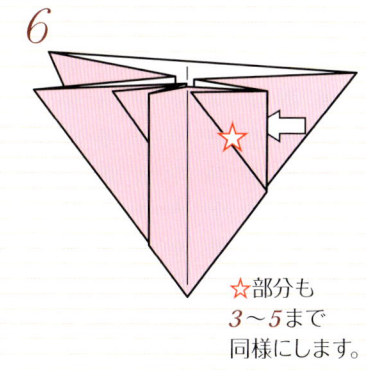
☆部分も
3～5まで
同様にします。

7 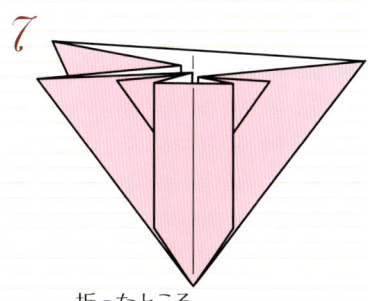
折ったところ。
残りの3カ所も2～5まで
同様に折って折り筋をつけます。
2の形に戻します。

8 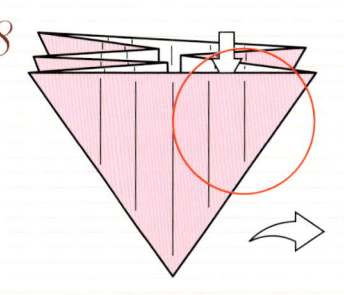
○の中を開きます。

9 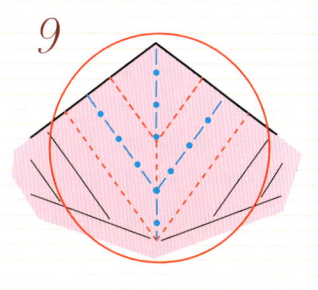
図のように折り筋を
つけ直してたたみます。

35

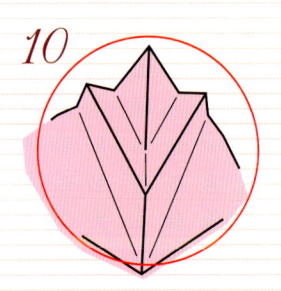

10
たたんでいるところ。

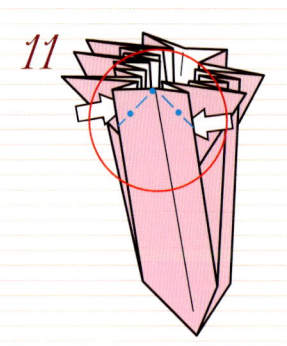

11
たたんだところ。
◯の中の角をそれぞれ
三角に山折りします
（他の部分も同様に）。

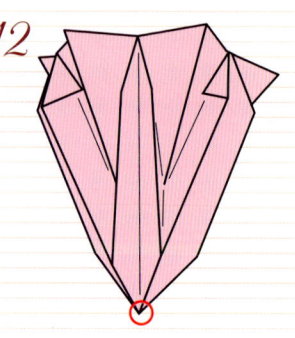

12
全部折って少し広げたところ。
後で花芯のワイヤーを通すため、
◯の部分に千枚通しなどで
穴を開けます。

花に花芯をつける

花芯をつくり、花に差し込みます。花芯は13個つくります（花とつぼみ共用）。

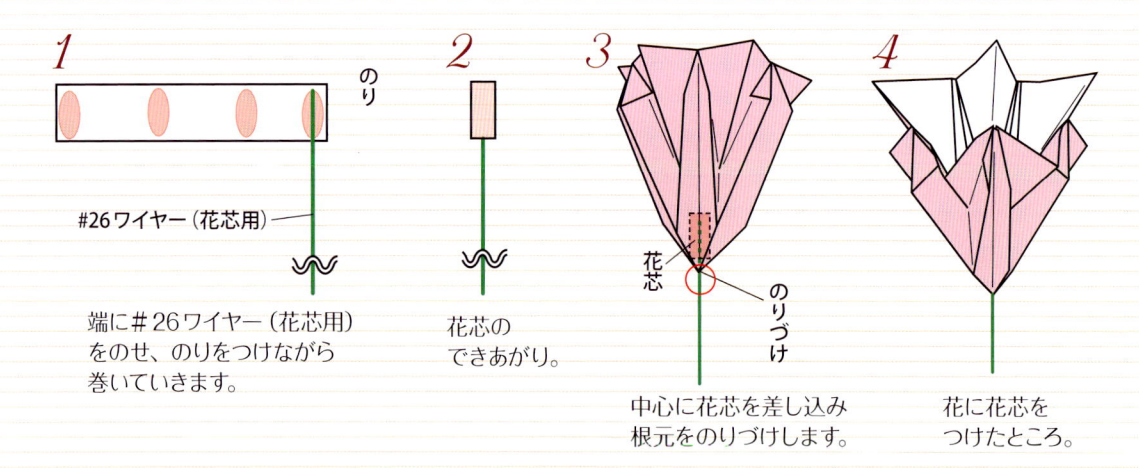

1
のり
#26ワイヤー（花芯用）
端に#26ワイヤー（花芯用）
をのせ、のりをつけながら
巻いていきます。

2
花芯の
できあがり。

3
花芯
のりづけ
中心に花芯を差し込み
根元をのりづけします。

4
花に花芯を
つけたところ。

花にガクをつける

「カーネーション」のガク（p.14）と同様に折ります。花用もつぼみ用も同じ折り方です。
全部で13個つくります（花とつぼみ共用）。

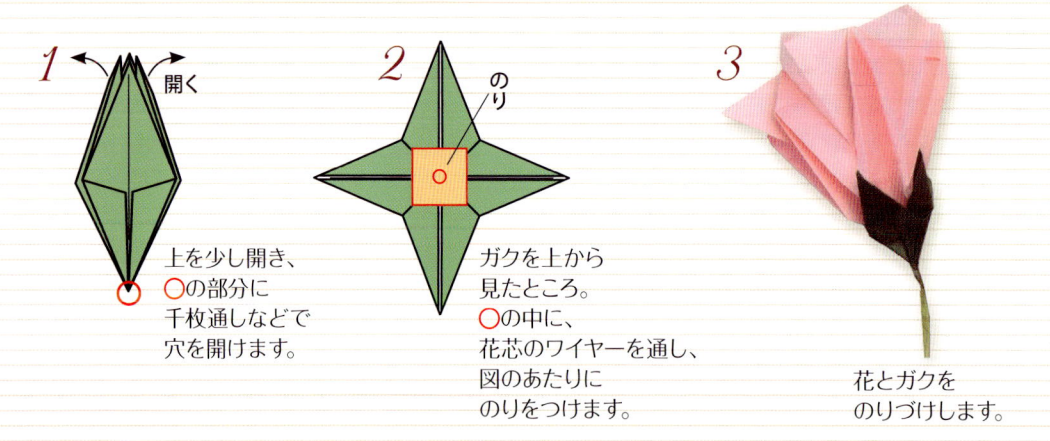

1
開く
上を少し開き、
◯の部分に
千枚通しなどで
穴を開けます。

2
のり
ガクを上から
見たところ。
◯の中に、
花芯のワイヤーを通し、
図のあたりに
のりをつけます。

3
花とガクを
のりづけします。

つぼみを折り、花芯とガクをつける

つぼみを7個つくり、それぞれガクに差し込みます。

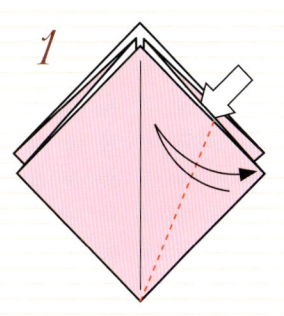

1
「四角折り」(p.9) より折り筋をつけます。

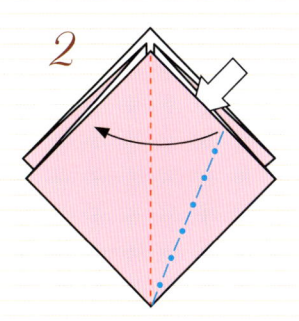

2
あいだを開いて折り線通りにたたみます。

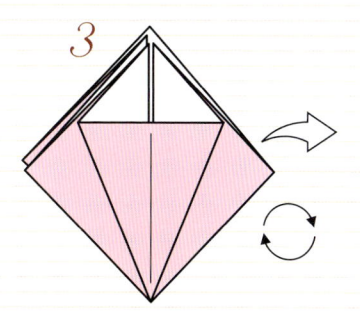

3
残り3カ所も **1~2** と同様にします。

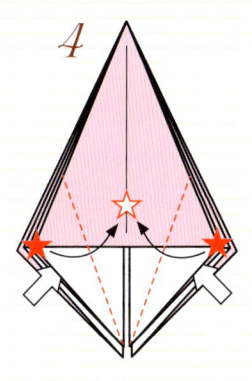

4
両側ともあいだを開いて★が☆に合うように谷折りします。

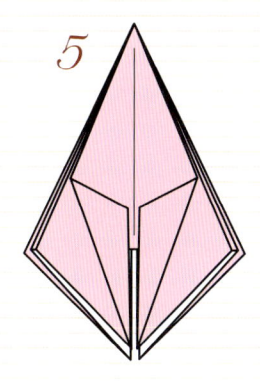

5
折ったところ。
残り3カ所も **4** と同様に両側を谷折りします。

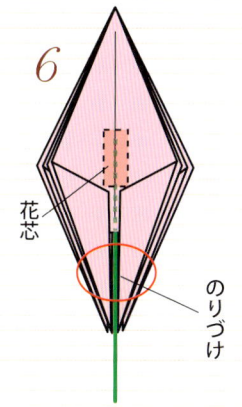

6
花芯(p.36)を下から通してワイヤーにのりをつけ、〇部分を貼りつけます。

花芯
のりづけ

7
6 のワイヤーをガク(p.36)に通します。〇部分にのりをつけて貼りつけます。

8
つぼみのできあがり。

葉を折る

葉を小6枚、大2枚、計8枚折ります。

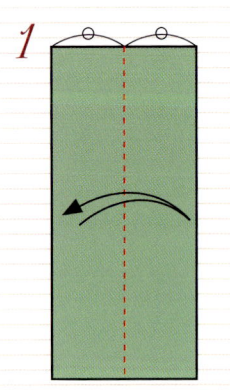

1 表を上にして折り筋をつけます。

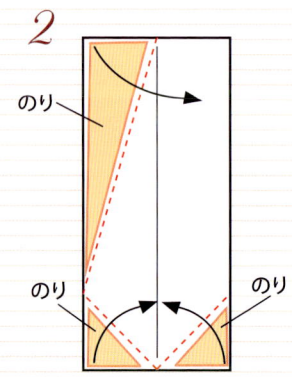

2 図の位置で谷折りしのりづけします。

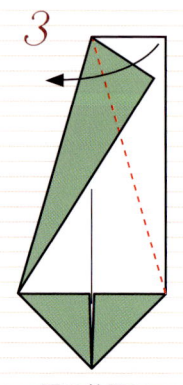

3 図の位置で谷折りします。

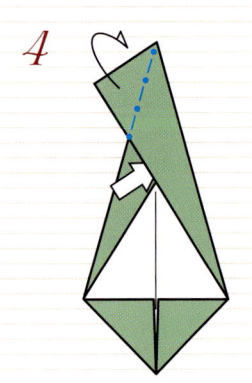

4 あいだを開いて2で折ったところからはみ出した部分を山折りして2と同様にのりづけします。

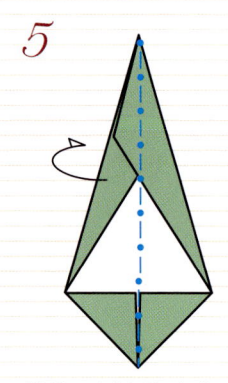

5 半分に山折りします。

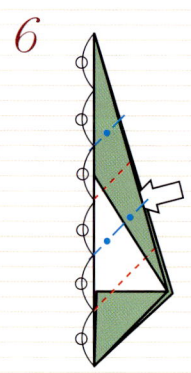

6 6等分して図のように折り筋をつけて、開きます。

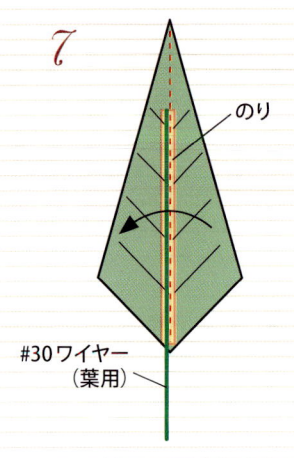

7 ワイヤーにのりをつけて谷折り線の上に置き谷折りします。

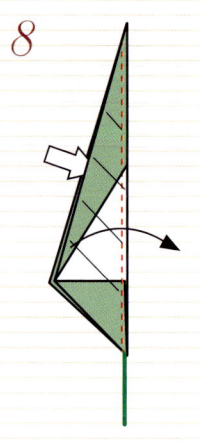

#30ワイヤー（葉用）

のり

8 ワイヤーの上をしっかり指で押さえてからあいだを開きます。

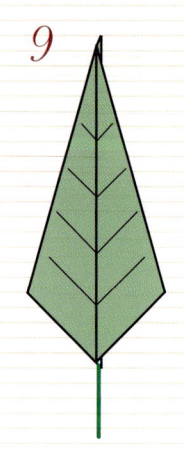

9 葉のできあがり。

仕上げる

完成見本の写真を参考にして、花を仕上げましょう。

1 ア

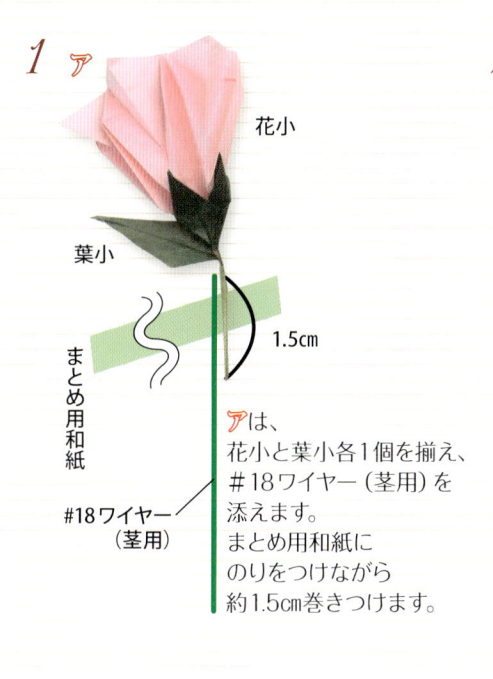

花小
葉小
まとめ用和紙
#18ワイヤー（茎用）
1.5cm

アは、花小と葉小各1個を揃え、#18ワイヤー（茎用）を添えます。まとめ用和紙にのりをつけながら約1.5cm巻きつけます。

2 イ

その下に、イを計5組つけます。
イは、花、つぼみ、葉小を各1個揃え、アと同様に茎につけます。

3 ウ

さらに、ウを計2組つけます。
ウは、つぼみ、葉大を各1個揃え、アと同様に茎につけます。

4

ア
花小
葉小
1.5cm
イ
花小
葉小
3cm
イ
花小
葉小
3cm
イ
花大
3cm
イ
花大
4cm
葉小
3cm
葉小
3cm
ウ
葉大
ウ
葉大
3cm

花やつぼみ、葉の数などはお好みで増減してください。

Spring カンパニュラ

Let's Make Oribana 6
Summer クレマチス

▶ Information

★紙の種類とサイズ（花1組分）：
花（ガク片）…和紙（楮） 15cm×15cm 1枚
花芯…和紙（板締め） 6cm×20cm 1枚
葉…和紙（板締め） 3.5cm×3.5cm 3枚、
　4×4cm 3枚、4.5cm×4.5cm 3枚、
　5×5cm 12枚
まとめ用…和紙（板締め） 0.5cm×63cm 4枚

★その他必要なもの：
#18ワイヤー 36cm 1本（茎用）
#30ワイヤー 12cm 21本（葉用）
#26ワイヤー 18cm 7本（枝用）

Summer　クレマチス

花（ガク片）を折る

クレマチスの花に見える白い部分は「ガク片」です。花（ガク片）の紙は六角形に切り取り開きます(p.11)。

1 表を上にして折り筋をつけます。

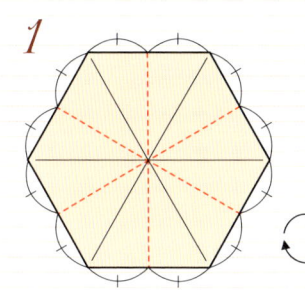

2 折り筋をつけ直して★が☆に合うようにたたみます。

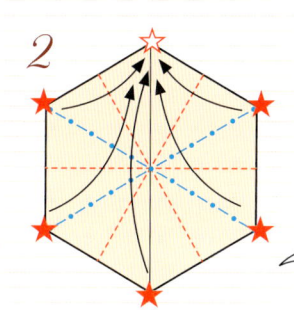

3 あいだを開いて上の1組を★が☆に合うように谷折りします。

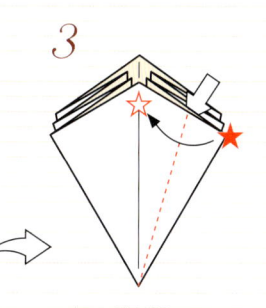

4 折ったところ。残り5カ所も右側を3と同様にします。

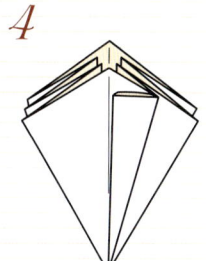

5 折ったところ。上を少し広げます。

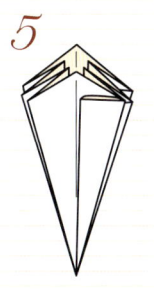

6 あいだを開いて手前に谷折りしのりづけします。

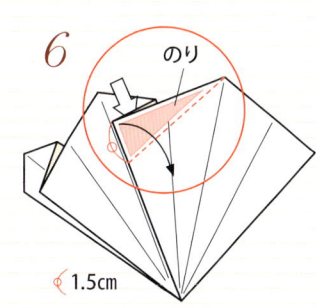

7 ☆が手前に倒れます。のりづけします。

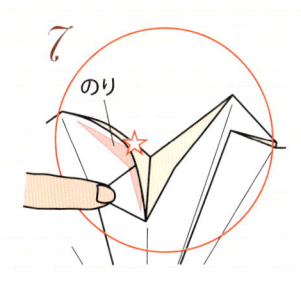

8 折ったところ 残り5カ所も同様にして★部分をのりづけします。

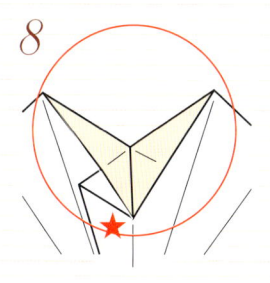

9 ☆のあたりを谷折りしながらひねるようにして花を開きます。

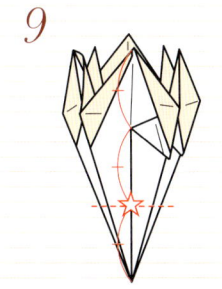

10 開いたところ。

11 上から見たところ。後で茎を通すため、○の部分に千枚通しなどで穴を開けます。

41

花芯をつくる

花芯をつくって、花に差し込みます。

1
のり

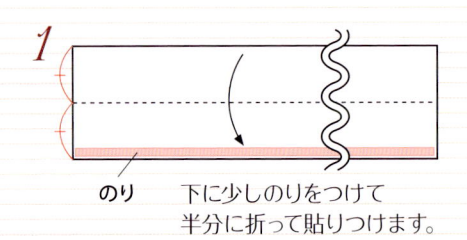

下に少しのりをつけて
半分に折って貼りつけます。

2
切り込み

約1cm

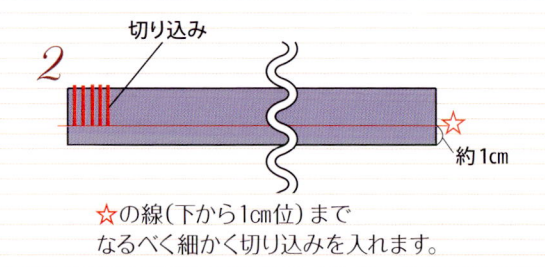

☆の線（下から1cm位）まで
なるべく細かく切り込みを入れます。

3
巻き始めから5cmは内巻き
残りは外巻き
切り込み部分
のり
#18ワイヤー（花芯用）

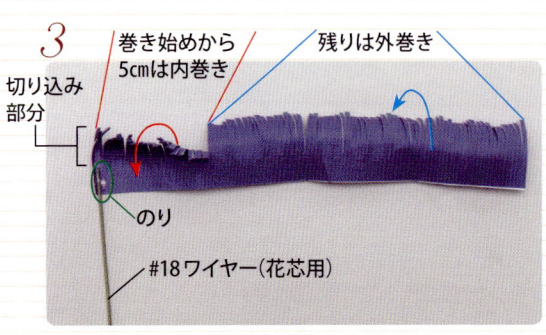

巻き始め5cmの切り込み部分を内巻きにし、
残りは外巻きにします。
#18ワイヤー（茎用）をのせて、
のりづけしながら巻いていきます。

4
内巻き
外巻き
のり

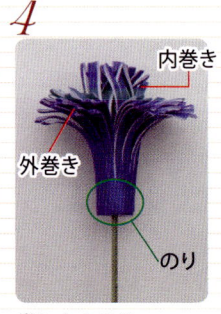

巻いたところ。
花芯の根元に
のりをつけます。

5
まとめ用和紙
#18ワイヤー（花芯用）

花の中心に4を差し込み、
まとめ用和紙で
花の根元を巻きます。

葉を折って、組み立てる

葉をサイズ違いで計21枚折り、3枚1組に組み立てます。

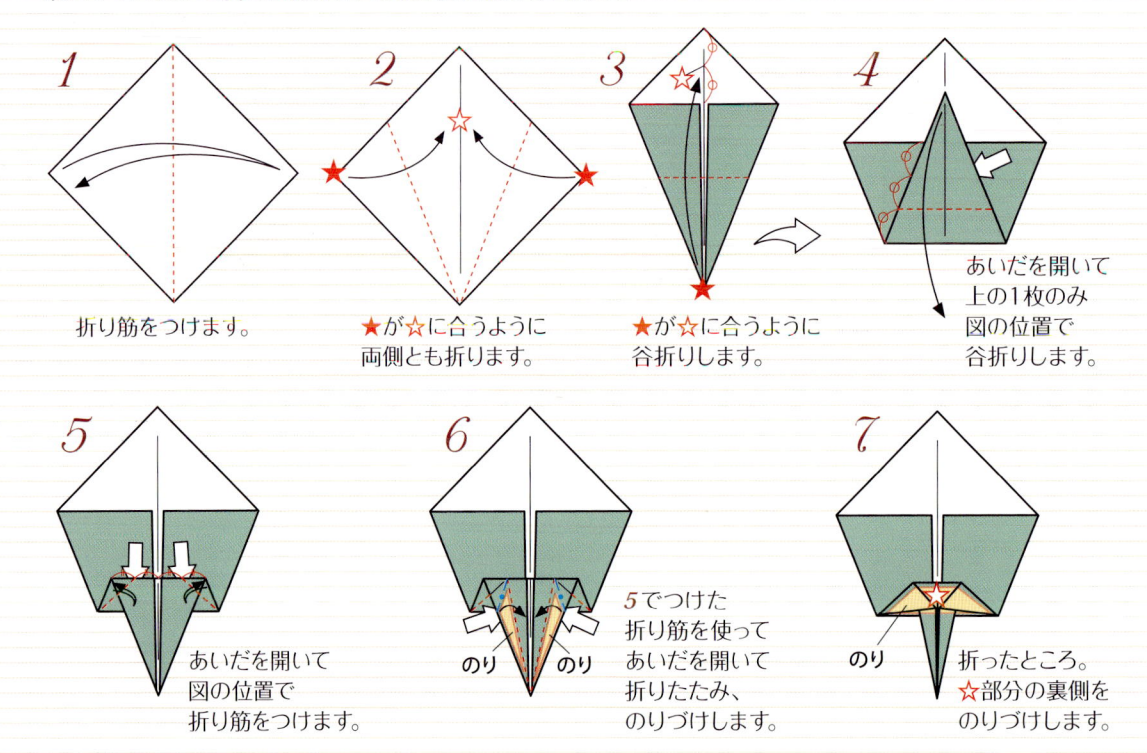

1
折り筋をつけます。

2
★が☆に合うように
両側とも折ります。

3
★が☆に合うように
谷折りします。

4
あいだを開いて
上の1枚のみ
図の位置で
谷折りします。

5
あいだを開いて
図の位置で
折り筋をつけます。

6
のり　のり

5でつけた
折り筋を使って
あいだを開いて
折りたたみ、
のりづけします。

7
のり

折ったところ。
☆部分の裏側を
のりづけします。

8
図の位置で
★が☆に合うように谷折りし、
のりづけします(両側とも)。

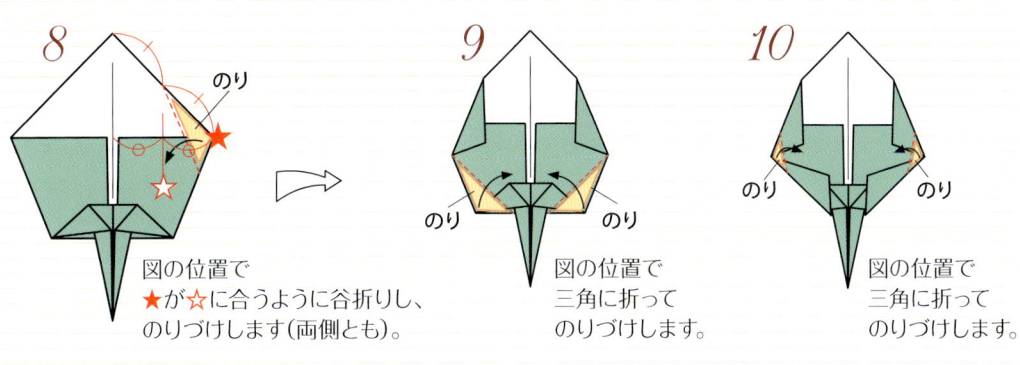

9
図の位置で
三角に折って
のりづけします。

10
図の位置で
三角に折って
のりづけします。

11
のり
#30ワイヤー(葉用)
まん中の折り筋の上に
#30ワイヤー(葉用)を
のせて、のりづけします。

12
21枚
つくります。

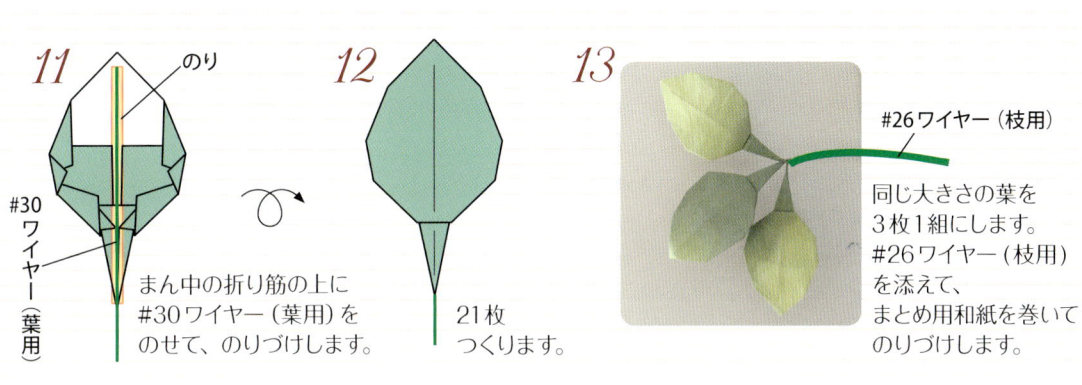

13
#26ワイヤー(枝用)
同じ大きさの葉を
3枚1組にします。
#26ワイヤー(枝用)
を添えて、
まとめ用和紙を巻いて
のりづけします。

仕上げる

茎に葉をつけて仕上げます。

1
ア　5cm　ウ
4cm
3cm
イ

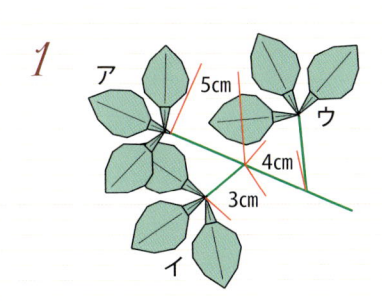

葉を図のように、まとめ用和紙で
のりづけしながらまとめます。
アは3.5cmの葉3枚1組、
イは4cmの葉3枚1組、
ウは4.5cmの葉3枚1組です。

2
ア　ウ
花
3cm
イ　エ
まとめ用和紙

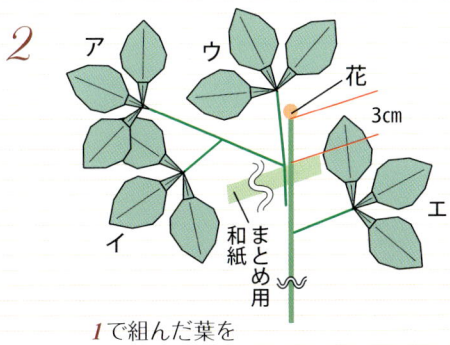

1で組んだ葉を
花の下、3cmのところにつけます。

3
エ　3.5cm
3cm
2cm
エ　3cm
2cm
エ　3.5cm
3cm
エ
3cm

残りの葉エも同様に、茎につけていきます。
エは5cmの葉3枚1組です。
花や葉の数などはお好みで増減してください。

Summer クレマチス

43

❀ Let's Make Oribana 7

Summer アジサイ

▶ Information

★紙の種類とサイズ（花1組分）：
花（ガク片）…和紙（板締め） 3.75cm×3.75cm 100枚
花まとめ用…和紙（板締め） 1cm×8cm 10枚
葉…和紙（板締め） 小5.5cm×5.5cm 4枚、
　　　　　　　　中6cm×6cm 4枚、大 6.5cm×6.5cm 4枚
まとめ用…和紙（板締め） 0.5cm×63cm 1枚

★その他必要なもの：
#28 白ワイヤー 5cm 100本（花用）
#26 ワイヤー 9cm 10本（花まとめ用）
#26 ワイヤー 12cm 12本（葉用）
#18 ワイヤー 36cm 1本（茎用1）
#18 ワイヤー 16cm 1本（茎用2）

Summer アジサイ

花（ガク片）と葉を折る

アジサイの花に見えるピンクや水色の部分は「ガク片」です。花（ガク片）を100個折ります。
葉は、小、中、大 各4枚計12枚折ります。

◆花を折る

1　「四角折り」（p.9）より
あいだを開いて上の1組のみ
★が☆に合うように折ります。
裏も同様にします。

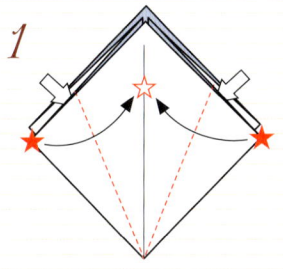

2　まとめて半分に折って
折り筋をつけます。

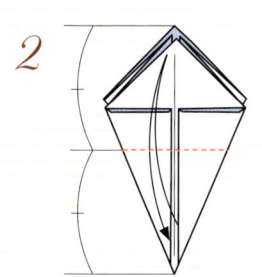

3　あいだを開きながら
上の1枚を手前に折ります。

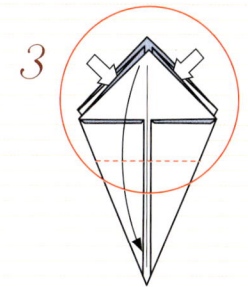

4　（途中図）

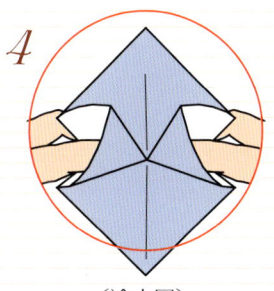

5　開いたところ。

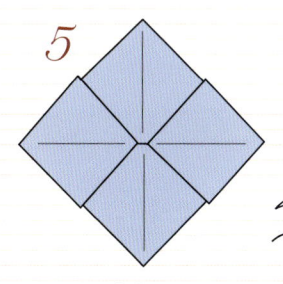

6　○の中のあいだを開いて
三角に折ります。

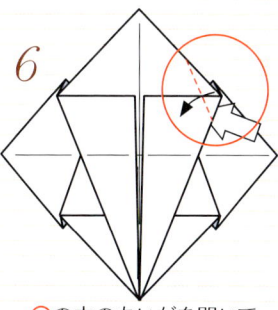

7　☆を谷折りします。

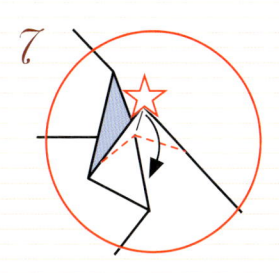

8　折ったところ。
残り3カ所の○も
同様に折ります。

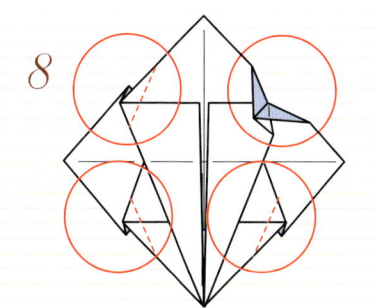

9　☆部分を持って
手前に少し谷折りします。

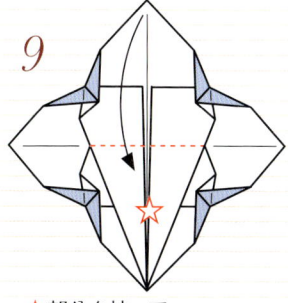

45

10
#28白ワイヤー（花用）の先にのり

千枚通しなどで穴を開けておく

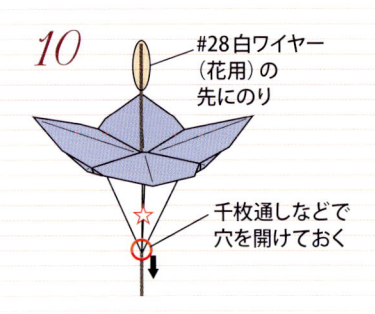

#28白ワイヤー（花用）の先にのりをつけて、花の中心に通します。
☆あたりで押さえて接着します。

11
花のできあがり。

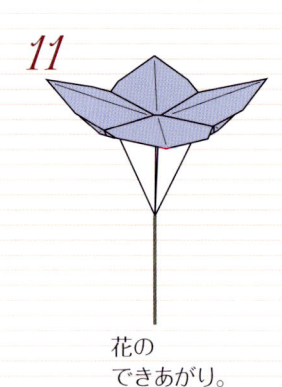

12
#26ワイヤー12cm（葉用）

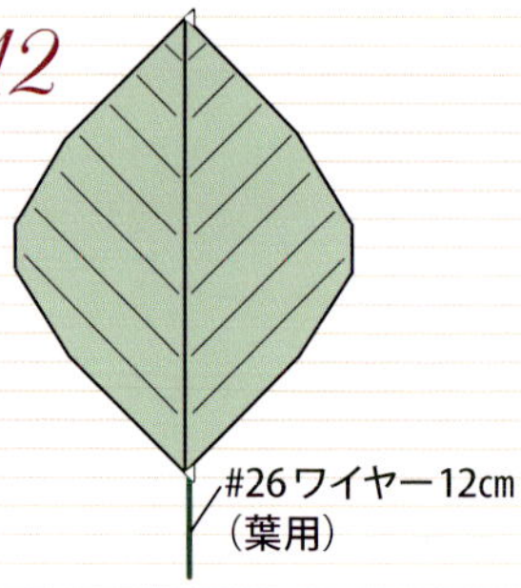

葉の折り方は、「バラ」（p.25）と同じ折り方です。

仕上げる

花をまとめ、葉を茎につけて仕上げます。

1
2cm
花まとめ用和紙
花10本
#26ワイヤー9cm（花まとめ用）

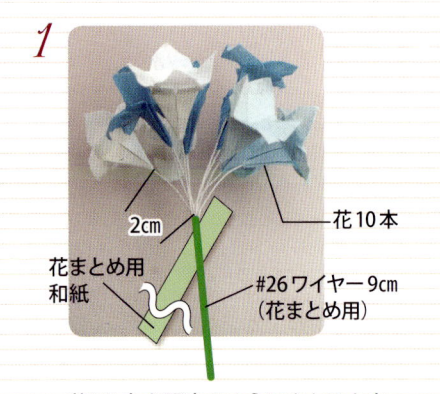

花10本を写真のようにまとめます。
#26ワイヤー（花まとめ用）を1本添えて、花まとめ用和紙にのりづけしながら巻き留めます。これを10束つくります。

2
4cm
葉小
#18ワイヤー36cm（茎用1）

花を、10束写真のようにまとめます。
#18ワイヤー36cm（茎用1）を1本添え、葉小を2枚添えて、まとめ用和紙を巻きます。

3
葉小　葉小
葉中　葉中
葉中　葉中
葉大　葉大
葉大　葉大
#18ワイヤー16cm（茎用2）

2と同様に、
2〜3cm間隔で写真のように
葉小2枚、葉中4枚、葉大4枚を
和紙で巻き、のりづけします。
茎のまん中あたりで
#18ワイヤー16cm（茎用2）を
添えて一緒に巻きます。

Summer アジサイ

47

Let's Make Oribana 8
Summer クチナシ

▶ Information

★紙の種類とサイズ（八重の花1組分）：
花…和紙(楮)　小16cm×16cm 1枚、
　　　　　　　中18cm×18cm 1枚、大20cm×20cm 1枚
花芯…和紙(楮)　2cm×5cm 1枚
めしべ…和紙(楮)　2.5cm×2.5cm 1枚
おしべ…和紙(楮)　3cm×6cm 1枚
ガク…和紙(板締め)　4.5cm×4.5cm 1枚
葉…和紙(板締め)　小3cm×3cm 8枚、
　　　　　　　中3.5cm×3.5cm 16枚、大4cm×4cm 8枚
花の上下に巻く紙…和紙(楮)　1cm×15cm 2枚
まとめ用…和紙(板締め)　0.5cm×63cm 5枚

★その他必要なもの：
#18ワイヤー36cm 1本（枝用）
#30ワイヤー9cm 32本（葉用）
#26ワイヤー18cm 4本（小枝用）

花を折る（八重の花）

花の紙は六角形に切り取り開きます(p.11)。花を小、中、大 各1個、計3個折ります。

1 表を上にして★が☆に合うように折り線をつけ直してたたみます。

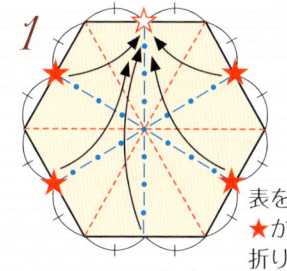

2 まとめて3等分して段折りします。

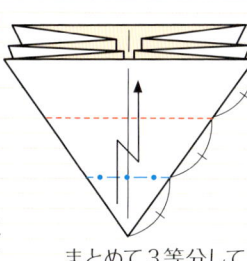

3 左側は谷折り、右側は山折りの折り筋をつけます。裏を上にして開きます。

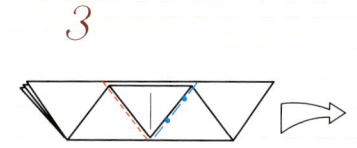

4 折り筋をつけ直して○の中を沈めるように折ります。

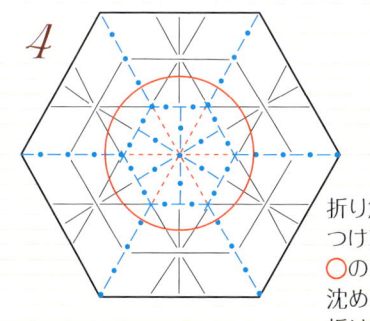

5 （途中図）

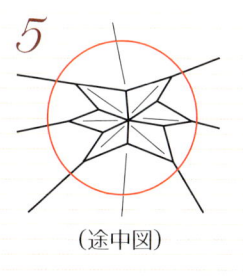

6 折ったところ。上のあいだを開いて★が☆に合うように手前に谷折りします。沈めた部分が全体に広がります。

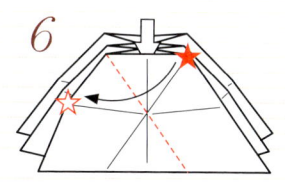

7 約1cm　図の位置で折り筋をつけます。

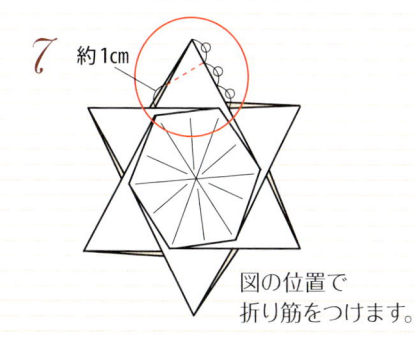

8 かぶせ折りをします。かぶせ折りしたところをのりづけします。

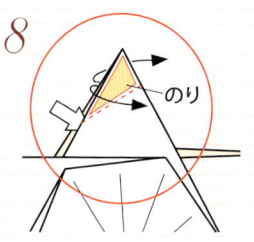

9 かぶせ折りをのりづけしたところ 残り5カ所も7〜8と同様にします。

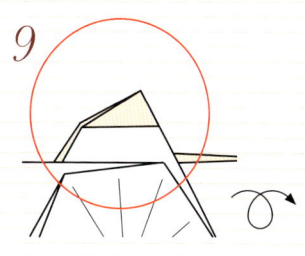

49

10
あいだを開いて
☆部分を
谷折りして開きます。

11
同様にして
次々と残り5カ所を
開きます。

12
全部開いたら
あいだを開いて
☆部分を
谷折りします。

13
あいだを開いて
★が☆に合うように
折ります。

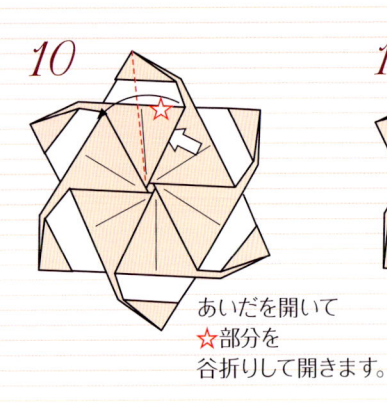

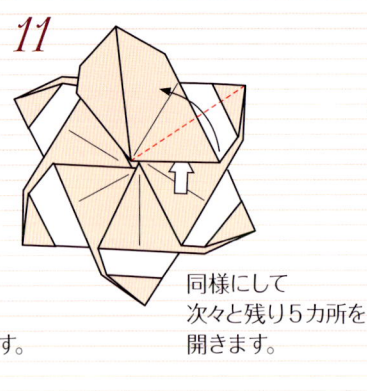

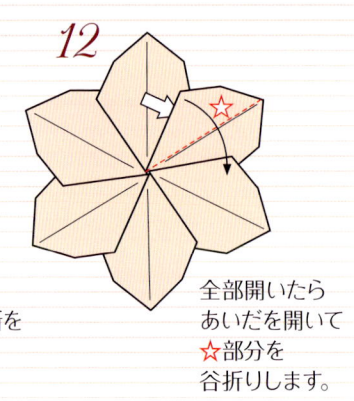

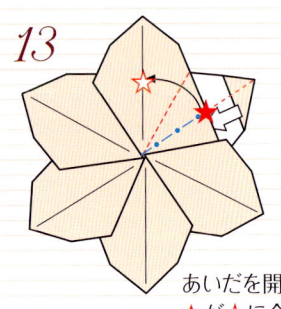

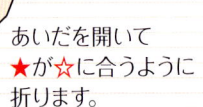

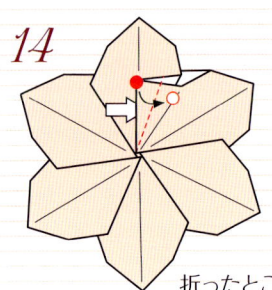

14
折ったところ。
あいだを開いて
●が○に合うように
折ります。

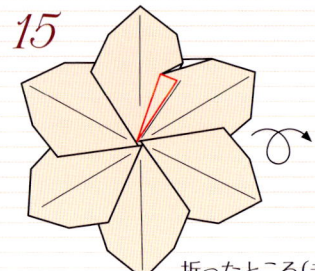

15
折ったところ（赤線部分）
を開いて12の形に
戻します。
残り5カ所も
12〜15まで同様に。

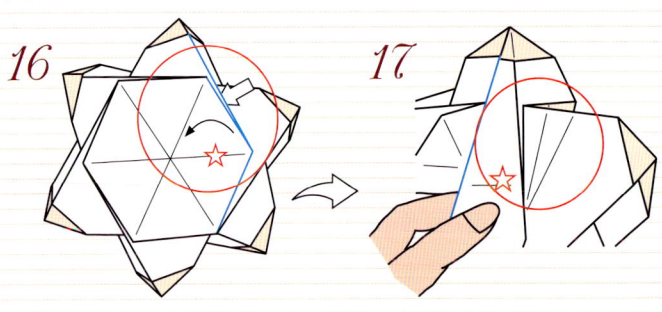

16
あいだを開いて
折らないように
青線部分☆を
左に倒します。

17
倒したところ。
○の中を折ります。

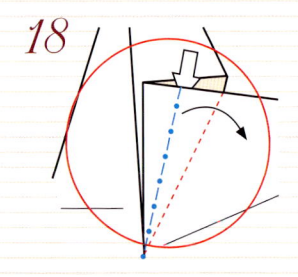

18
あいだを開いて
13〜15でつけた折り線を
図のように折ります。

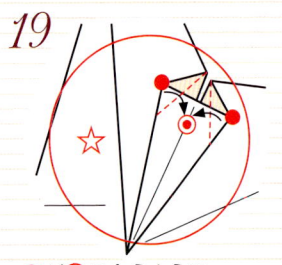

19
●が◉に合うように
折って戻します。

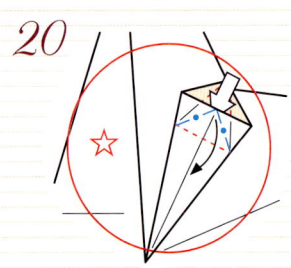

20
あいだを開いて
図のように手前に折ります。

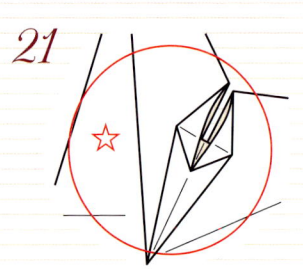

21
折ったところ。
☆を16の形に戻します。
残り5カ所も
16〜21まで同様にします。

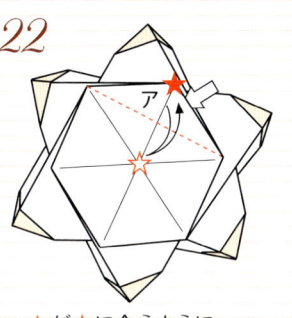

22
★が☆に合うように折り筋をつけます。

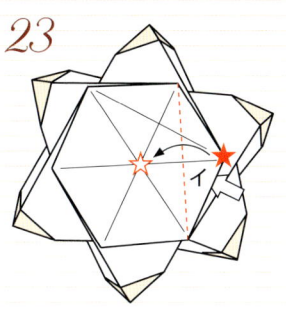

23
★が☆に合うように谷折りします。

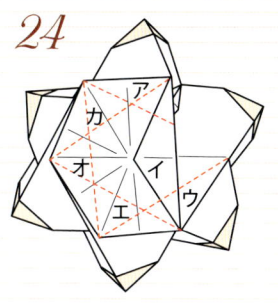

24
23と同様にウ〜カまで折って重ねていきます。
アはイを少し開いて22でつけた折り線通りに折ります。

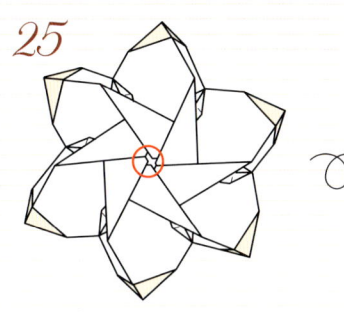

25
折ったところ。
○の部分に後で茎を通すための穴を千枚通しなどで開けます。

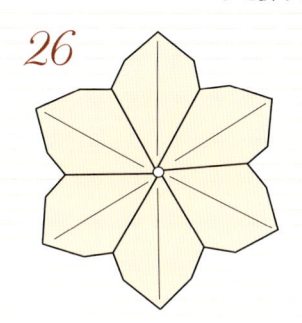

26
花びらのできあがり。
大、中、小を各1個つくります。

花芯をつくる

枝のワイヤーに花芯をつけます。

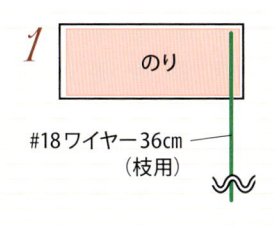

1
のり
#18ワイヤー36cm（枝用）
用紙の全体にのりをつけます。
紙の端に#18ワイヤー（枝用）をあて、のりをつけながら巻きます。

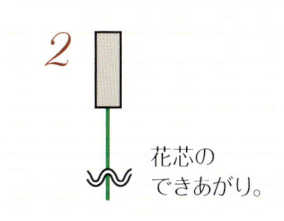

2
花芯のできあがり。

おしべを折る

1枚の紙から7個できますが、6個使います。

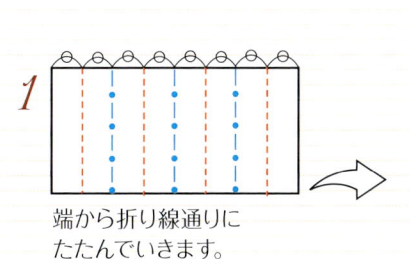

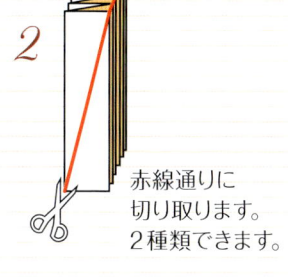

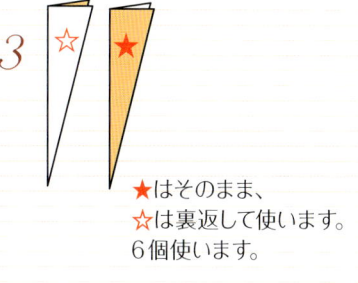

1
端から折り線通りにたたんでいきます。

2
赤線通りに切り取ります。
2種類できます。

3
★はそのまま、
☆は裏返して使います。
6個使います。

Summer クチナシ

めしべを折る

めしべを1個折ります。

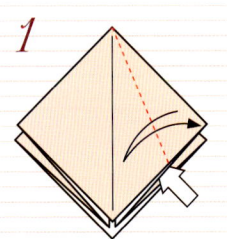

1
「四角折り」(p.9)より折り筋をつけます。

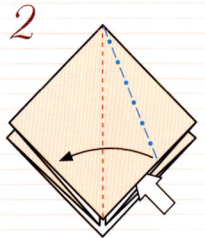

2
あいだを開いて折り線通りにたたみます(4カ所とも)。

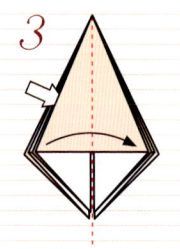

3
あいだを開いて上の1枚のみ右に倒します。裏も同様にします。

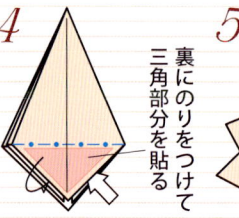

4
あいだを開いて上の1枚のみ図の位置で山折りしてのりづけします(4カ所とも)。

裏にのりをつけて三角部分を貼る

5
少し広げます。

八重の花を組み立てる

花、おしべ、めしべを花芯のワイヤーに通して組み立てます。

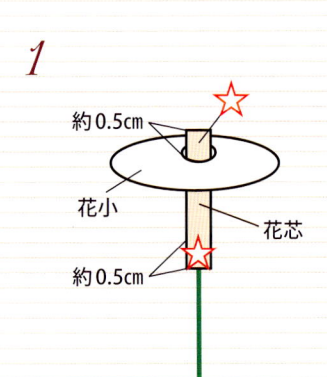

1
花芯のまわりにのりをつけ、ワイヤーを花小の中心に差し込みます。花芯の先が花の上、約0.5cm(☆)ほど飛び出すようにします。

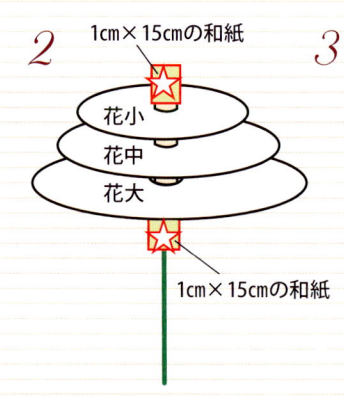

約0.5cm
花小
約0.5cm
花芯

2
花中、花大も同様にワイヤーを通します。1の☆部分に花の上下用の和紙を1枚ずつ巻きのりづけします。

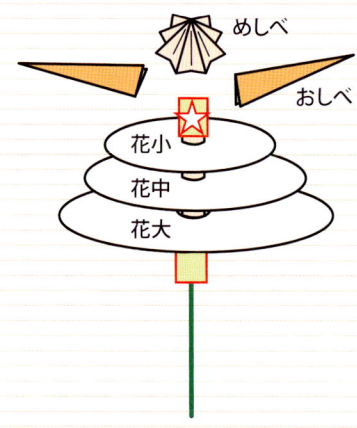

1cm×15cmの和紙
花小
花中
花大
1cm×15cmの和紙

3
先端の☆部分にかぶせるようにめしべをのせ、しっかりのりづけしてその下におしべを6個のりづけして挟み込みます。

めしべ
おしべ
花小
花中
花大

4

八重の花にめしべ、おしべをつけたところ。

ガクを折り、花につける

ガクは、「バラ」のガクB（p.24）と同じ折り方です。花へのつけ方もバラを参照してください。

1 ここから花芯のワイヤーを出す
ガクを折ります。「バラ」(p.24)参照。

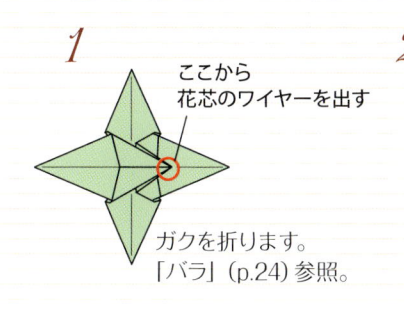

2 ガクにのりをつけて花と貼り合わせます。

葉を折り、組み立てる

葉は、「バラ」(p.25)の葉と同じ折り方です。組み立て方も、バラを参照してください。

1 #30ワイヤー（葉用）　葉をサイズ違いで計32枚折ります。

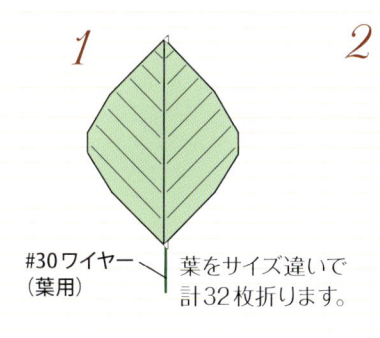

2 葉小　葉中　葉中　葉大　#26ワイヤー（小枝用）
2cm　3cm　2.5cm
葉小　葉中　葉中　葉大

葉小2枚に、#26ワイヤー（小枝用）を添えてまとめ用和紙で巻き、のりづけします。同様に葉中4枚、葉大2枚と、左写真のように巻きます。

仕上げる

枝に葉をつけて仕上げます。

八重の花
枝
3.5cm　4cm
4cm　4cm
4.5cm
4cm

葉を4組つくり、左写真のようにまとめ用和紙で枝につけます。葉の枚数は、お好みで増減してください。

一重の花

一重の花のクチナシは、花を16cm×16cm 1枚でつくります。そのほかのつくり方は八重の花のクチナシと同じです。

Let's Make Oribana 9
Summer アサガオ

▶ Information

★紙の種類とサイズ(花1組分)：
花…和紙(楮)　16cm×16cm 1枚
花芯…和紙(楮)　1cm×5cm 1枚
つぼみ…和紙(楮)　7.5cm×7.5cm 2枚
ガク…和紙(板締め)　4.5cm×4.5cm 3枚
葉…和紙(板締め)　1.5cm×1.5cm 1枚、
　2×2cm 1枚、3cm×3cm 4枚、
　3.75cm×3.75cm 7枚、4.5cm×4.5cm 2枚、
　5cm×5cm 2枚、7.5cm×7.5cm 1枚
まとめ用…和紙(板締め)　0.5cm×63cm 1枚

★その他必要なもの：
#22ワイヤー12cm 1本(花芯用)
#30ワイヤー9cm 2本(つぼみ用)
#30ワイヤー9cm 13本(葉用)
#30ワイヤー12cm 3本(葉用)
#30ワイヤー36cm 1本(つる用)
#18ワイヤー36cm 1本(茎用)

Summer　アサガオ

花を折る

花の紙は五角形に切り取り開きます(p.10)。花は1個折ります。

1 それぞれの角を谷折りします。

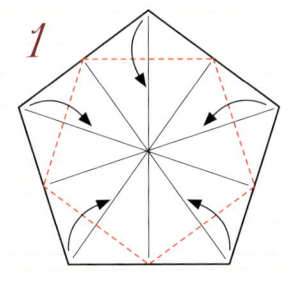

2 折り筋をつけ直して★が☆に合うようにたたみます。

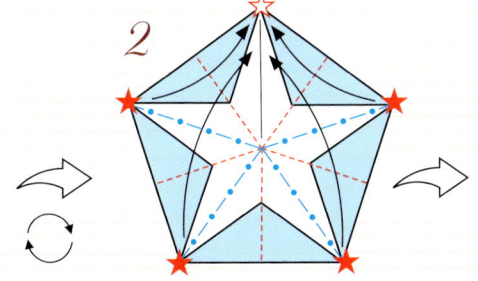

3 あいだを開いて上の1組のみ★が☆に合うように折り筋をつけます。

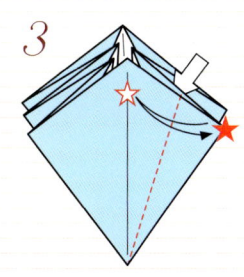

4 あいだを開いて上の1組のみ★が☆に合うように折ってのりづけします。

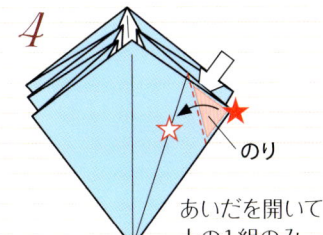

5 ★が☆に合うように折ってのりづけします。

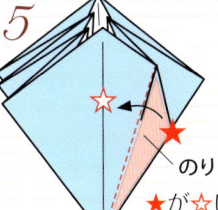

6 のりづけしたところ。残り4カ所も右側を3〜5と同様にします。

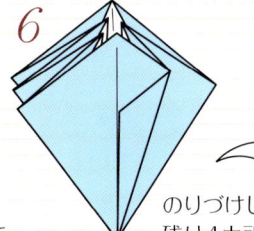

7 上を開いて図のように谷折りします(☆は手前に、★は右に倒す)。残り4カ所も同様に。

8 折ったところ。

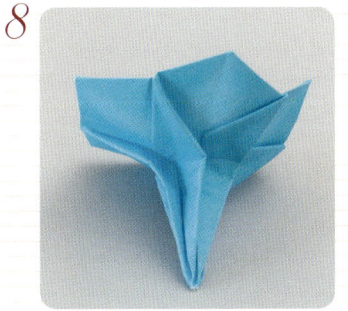

9 上から見たところ。◯の部分に後で茎を通すために、千枚通しなどで穴を開けます。

55

花芯をつくり、花につける

花芯をつくって、花に差し込みます。

1

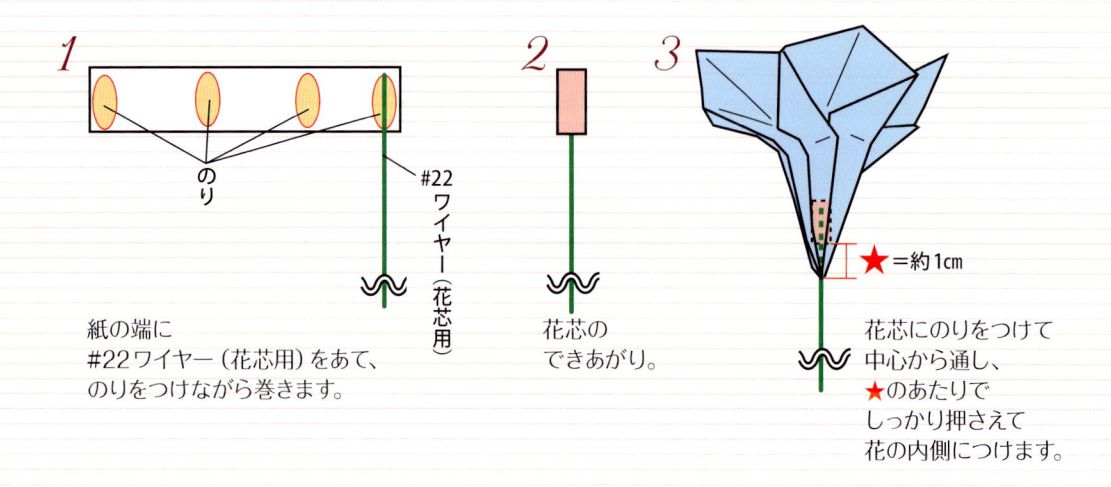

のり　#22ワイヤー（花芯用）

紙の端に
#22ワイヤー（花芯用）をあて、
のりをつけながら巻きます。

2

花芯の
できあがり。

3

★=約1cm

花芯にのりをつけて
中心から通し、
★のあたりで
しっかり押さえて
花の内側につけます。

つぼみを折る

つぼみを2個折ります。

1

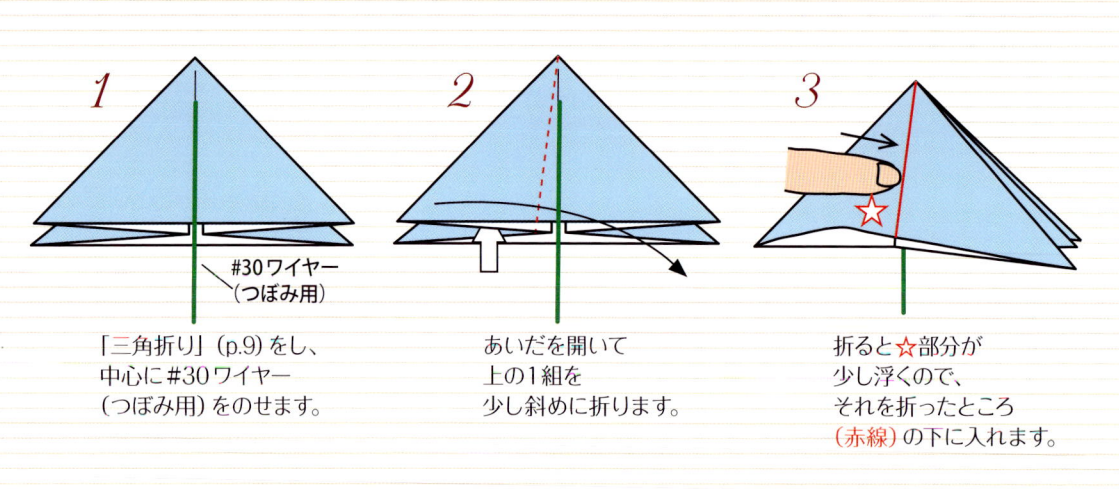

#30ワイヤー
（つぼみ用）

「三角折り」（p.9）をし、
中心に#30ワイヤー
（つぼみ用）をのせます。

2

あいだを開いて
上の1組を
少し斜めに折ります。

3

折ると☆部分が
少し浮くので、
それを折ったところ
（赤線）の下に入れます。

4

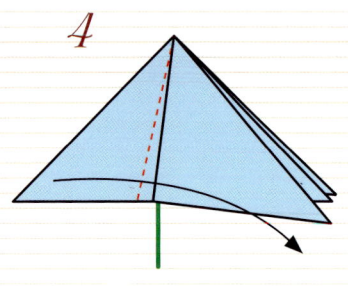

斜めに折ります。

5

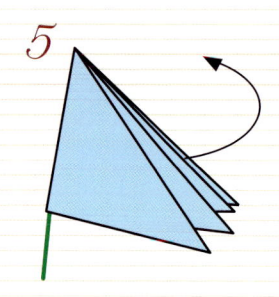

後ろの1枚を左に倒します。

6

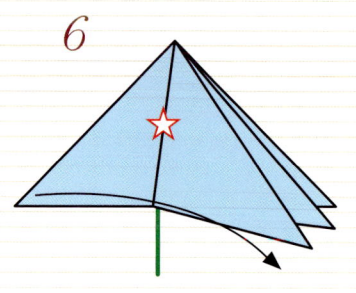

2と同様に、
☆の線に沿って
谷折りします。

56

7
折ったところ。

8
☆から上が、とがるように
細く巻いていきます。

9
根元をねじるように閉じて、
のりづけします。

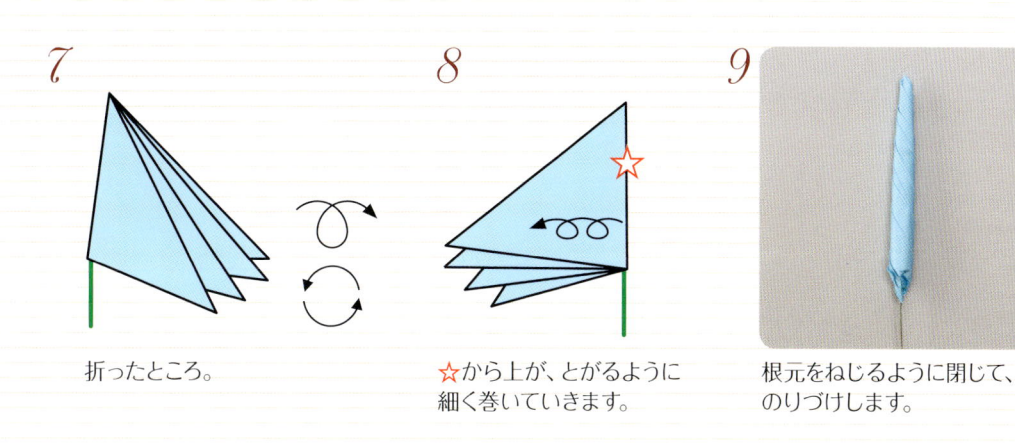

葉を折る

葉をサイズ違いで計18枚折り、葉の芯になるワイヤーを貼ります。

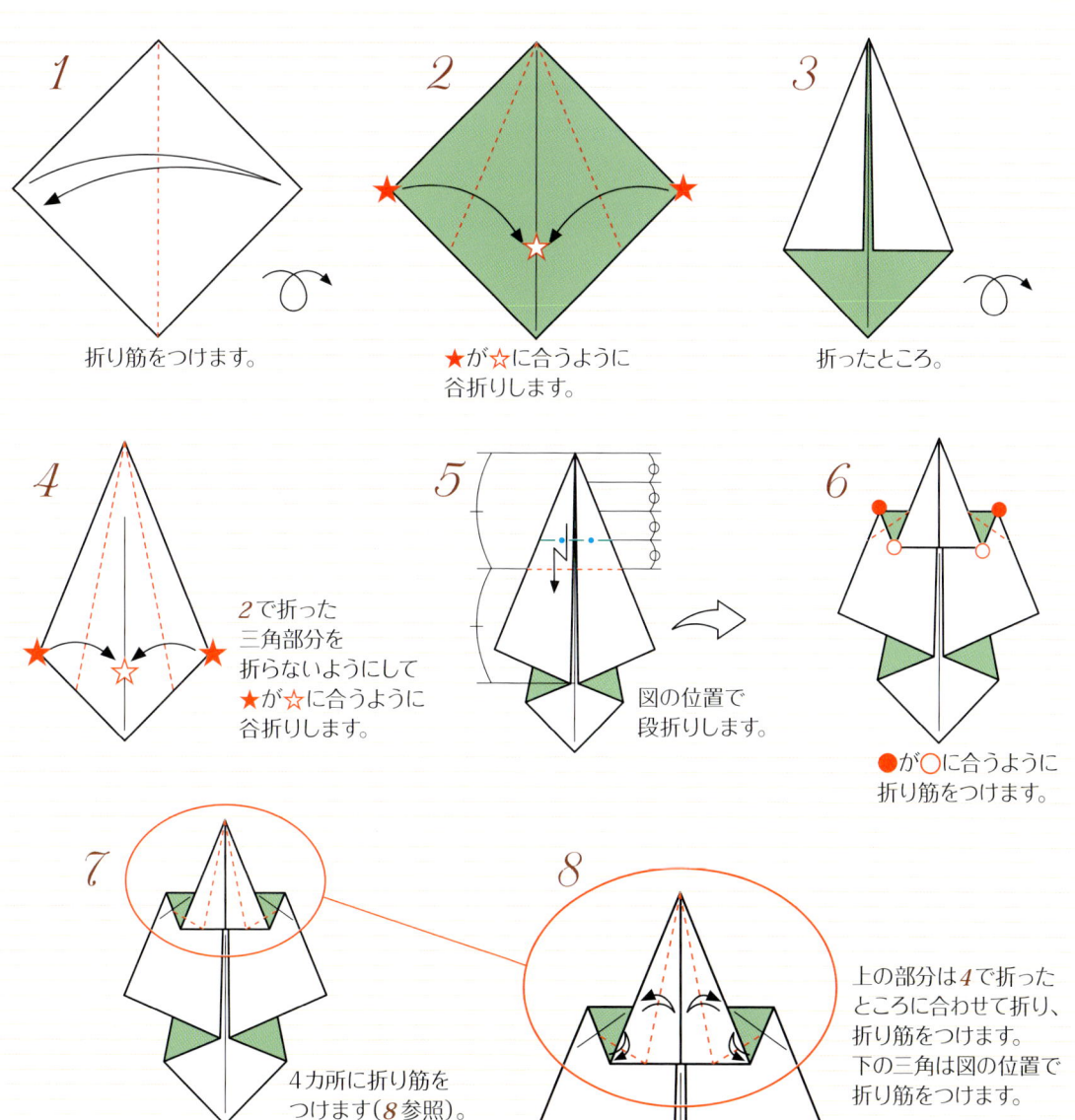

1
折り筋をつけます。

2
★が☆に合うように
谷折りします。

3
折ったところ。

4
2で折った
三角部分を
折らないようにして
★が☆に合うように
谷折りします。

5
図の位置で
段折りします。

6
●が○に合うように
折り筋をつけます。

7
4カ所に折り筋を
つけます（8参照）。

8
上の部分は4で折った
ところに合わせて折り、
折り筋をつけます。
下の三角は図の位置で
折り筋をつけます。

57

9
あいだを開いて
谷折りします
(*10*参照)。

10
右側を折ったところ。
*6*でつけた折り線で
谷折りします。
左側も同様に折ります。

11
折ったところ。

12
3cm・3.75cm・4.5cmの葉…#30ワイヤー9cm（葉用）
5cm・7.5cmの葉…#30ワイヤー12cm（葉用）
1.5cm・2cmの葉…ワイヤーなし

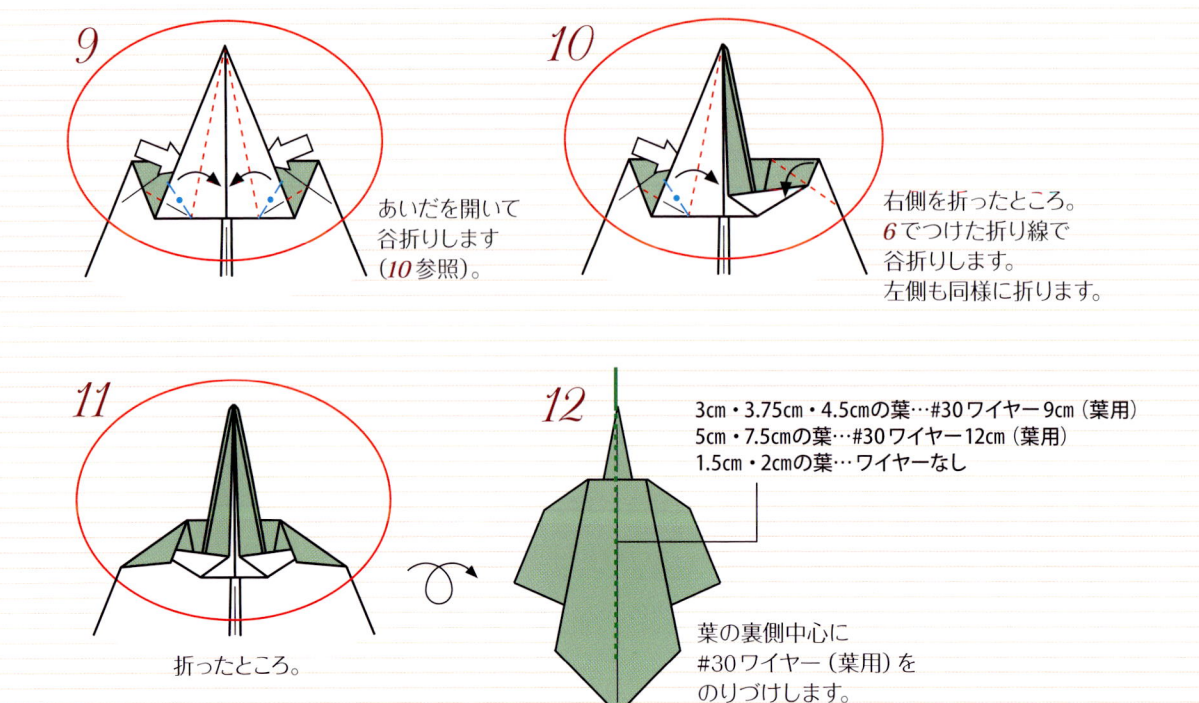

葉の裏側中心に
#30ワイヤー（葉用）を
のりづけします。

ガクをつくり、花につける

ガクは、「バラ」のガクA(p.24)と同じ折り方です。花のガクとつぼみのガクは共通です。

1
ガクAの
できあがり。

2
千枚通しなどで
穴を開け、
花のワイヤーを
通す

のり

○の中に、
花芯のワイヤーを通し、
中心にのりをつけます。

3
ここから
ワイヤーを出す

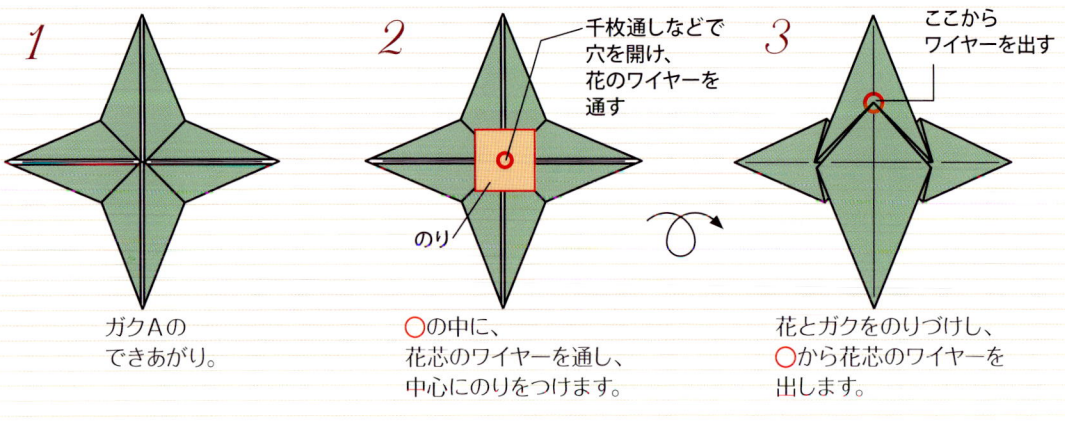

花とガクをのりづけし、
○から花芯のワイヤーを
出します。

4
花とつぼみに
ガクをつけたところ。

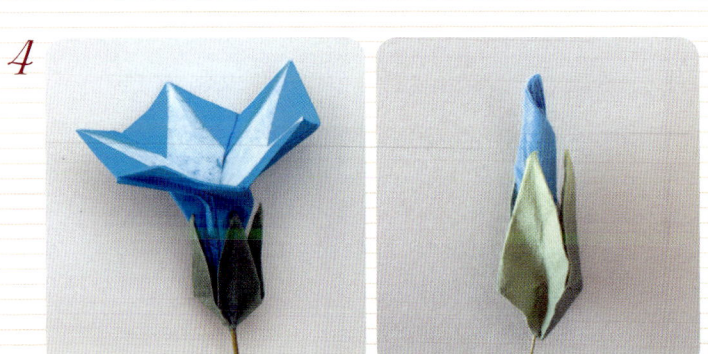

仕上げる

茎に葉をつけて仕上げます。

1

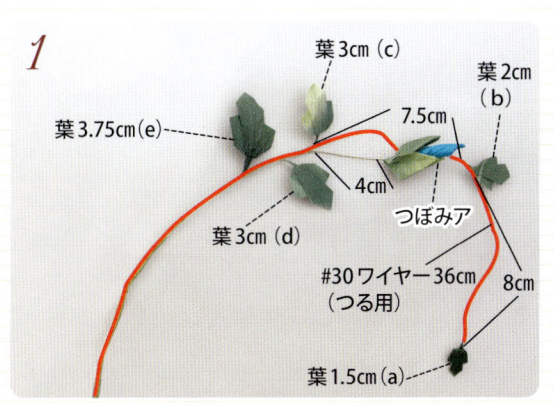

葉3cm (c)
葉2cm (b)
葉3.75cm (e)
7.5cm
4cm
葉3cm (d)
つぼみア
#30ワイヤー 36cm（つる用）
8cm
葉1.5cm (a)

#30ワイヤー（つる用）（赤線）の先端に葉1.5cm (a) をのりづけします。つづけて葉2cm (b) をのりづけし、そこから7.5cmのところに、つぼみアと葉3cm (c、d) と葉3.75cm (e) をまとめ用和紙でのりづけしながら順に巻きつけます。

2

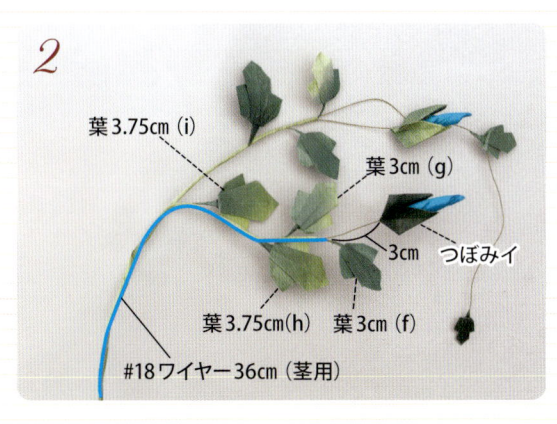

葉3.75cm (i)
葉3cm (g)
3cm
つぼみイ
葉3.75cm (h)　葉3cm (f)
#18ワイヤー 36cm（茎用）

つぼみイの下3cmのところに葉3cm (f) を合わせ、#18ワイヤー（茎用）（青線）を添えます。まとめ用和紙でのりづけしながら巻きつけます。同様にして、葉3cm (g)、葉3.75cm (h、i) を順につけていきます。

3

花
5cm
葉3.75cm

花の下、5cmのところに葉3.75cmを合わせ、1、2もいっしょにまとめ用和紙でのりづけしながら巻きつけます。

4

葉3.75cm
葉3.75cm
葉3.75cm
葉4.5cm
葉4.5cm
葉5cm
葉5cm
葉7.5cm

残りの葉（3.75cm 3枚、4.5cm 2枚、5cm 2枚、7.5cm 1枚）を、2～3cm間隔でのりづけします。

Let's Make Oribana 10
Autumn　フクシア

▶ Information

★紙の種類とサイズ(花1組分)：
花びら…和紙(板締め) 7.5㎝×7.5㎝ 3枚
ガク…和紙(板締め) 7.5㎝×7.5㎝ 3枚
おしべ…和紙(板締め) 9㎝×9㎝ 3枚
めしべ…和紙(楮) 1.5㎝×1.5㎝ 3枚
葉…和紙(板締め) 2㎝×2㎝ 4枚、
　　　　　　　　2.5㎝×2.5㎝ 4枚、3㎝×3㎝ 4枚、
　　　　　　　　3.5㎝×3.5㎝ 6枚、4㎝×4㎝ 6枚
花組み立て用…和紙(板締め) 0.7㎝×1.5㎝ 3枚
まとめ用…和紙(板締め) 0.5㎝×63㎝ 1枚

★その他必要なもの：
#26白ワイヤー9㎝ 3本
　　　　　　　　（めしべ用）
#26ワイヤー12㎝ 3本（花用）
#30ワイヤー9㎝ 24本（葉用）
#18ワイヤー36㎝ 1本（茎用）

❀ 花びらを折る

花びらを計3枚折ります。

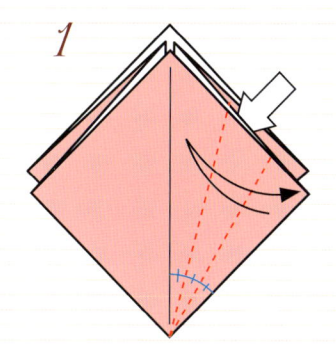

1
「四角折り」(p.9)より
あいだを開いて
上の1組のみ
折り筋をつけます。

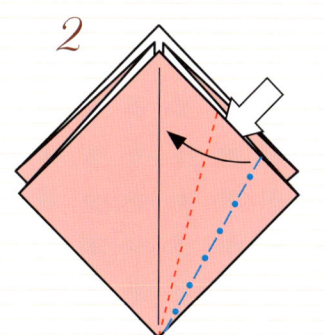

2
あいだを開いて
上の1枚のみ
図のように
折りたたみます。

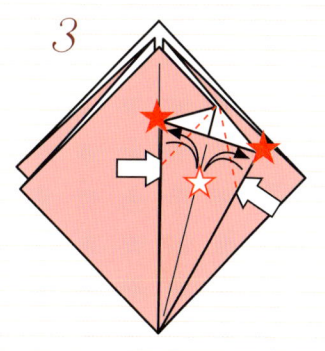

3
★が☆に合うように
折り筋をつけます。

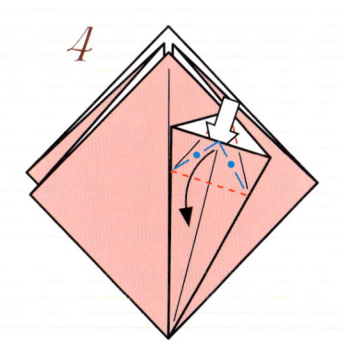

4
あいだを開いて
たたみます。

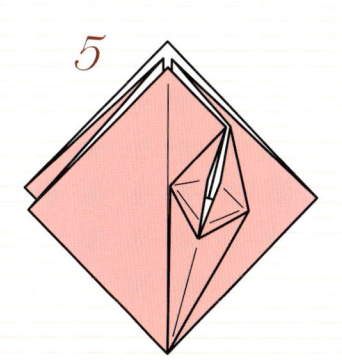

5
たたんだところ。
残り3カ所も
1〜4まで
同様にします。

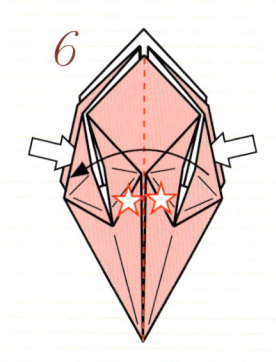

6
あいだを開いて
上の1組を左に倒します。
裏も同様に。
☆部分は7で使います。

7
1でつけた折り線で
谷折りして
のりづけします。
6の☆部分の裏側も
のりづけします。
裏も同様に。

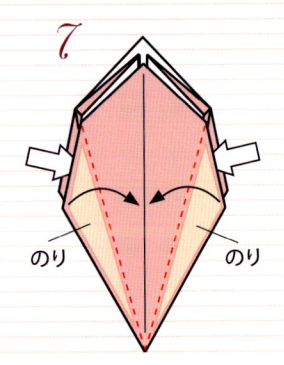

のり　のり

8
上を少し
開いて
花びらを
内側に
丸めます。

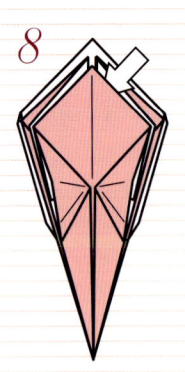

9
花びらを
丸めたところ。

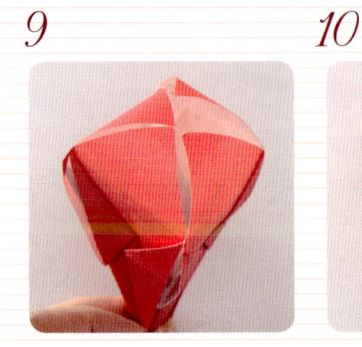

10
花びらのできあがり。
○の部分に
後で花用ワイヤーを
通すために
千枚通しなどで
穴を開けます。

ガクを折る

「カーネーション」のガク(p.14) 1〜4まで同様に折り、計3個折ります。

1
上の1枚のみ
下に倒します。
裏も同様に。

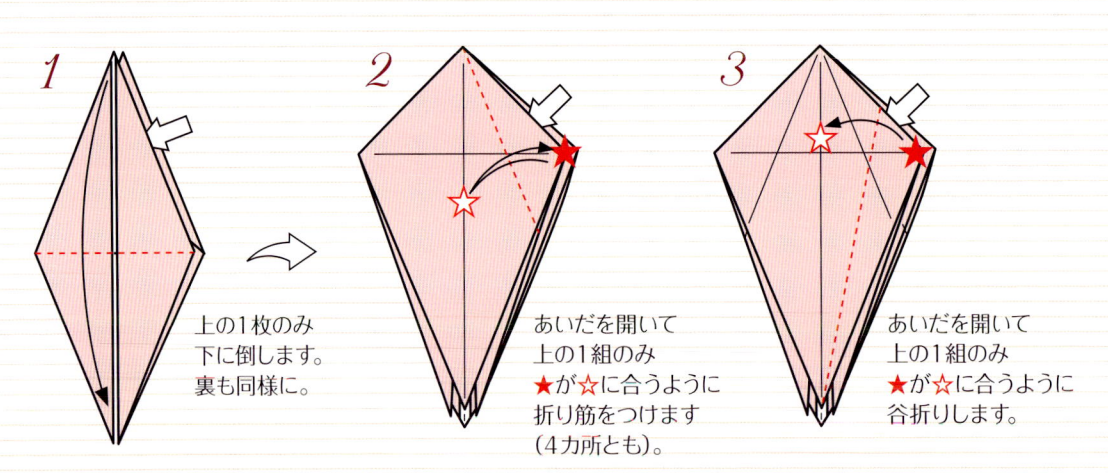

2
あいだを開いて
上の1組のみ
★が☆に合うように
折り筋をつけます
(4カ所とも)。

3
あいだを開いて
上の1組のみ
★が☆に合うように
谷折りします。

4
あいだを開いて
★が☆に合うように
折り筋をつけます。

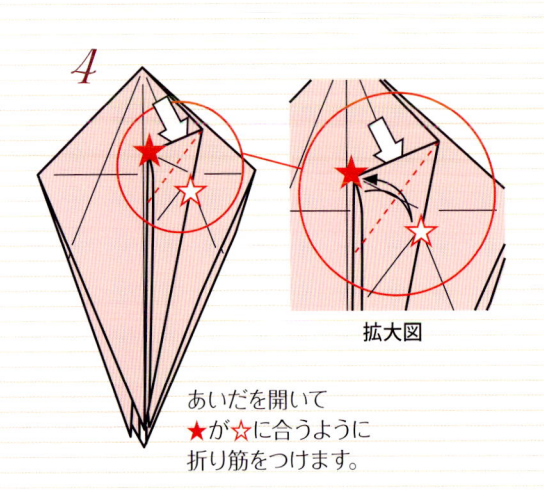

拡大図

5
あいだを開いて
中を広げます。

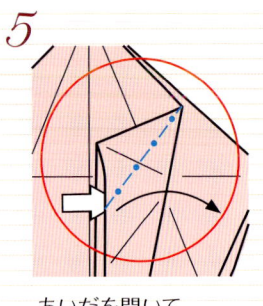

6
開いているところ。
中が袋状になっているので
しっかり開きます。

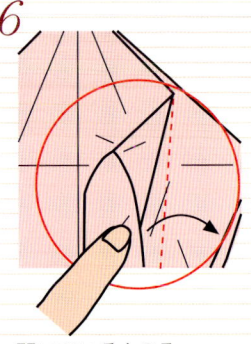

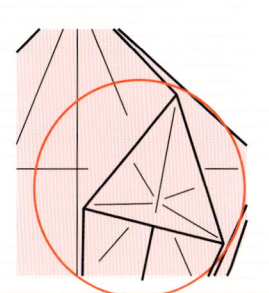

7
開いたところ。
残り3カ所も
3〜7まで
同様にします。

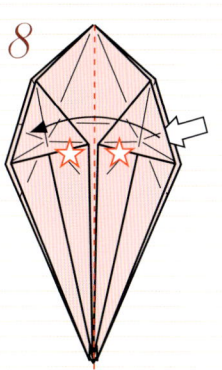

8
あいだを開いて
左に倒します。
裏も同様に。
☆部分は9で
使います。

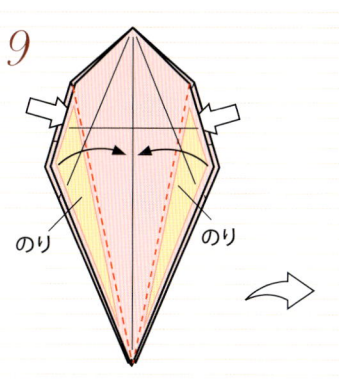

9
両側ともあいだを開いて
3でつけた折り線で谷折りし、
のりづけします。
8の☆部分の裏側も
のりづけします。
裏も同様に。

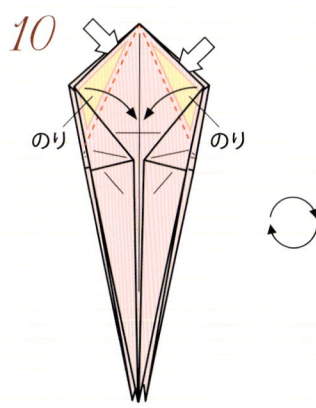

10
両側ともあいだを開いて
2でつけた折り線で
谷折りし、
のりづけします。
裏も同様に。

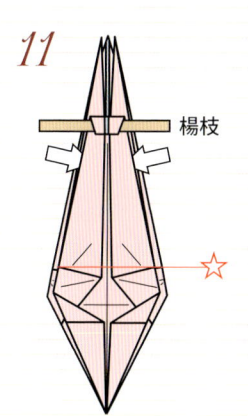

11
☆の線あたりまで
楊枝などで
ガクを4枚とも
外側に巻きます。

12
ガクを開いたところ。
○の部分に
後で花用ワイヤーを通すために
千枚通しなどで穴を開けます。

めしべを折る

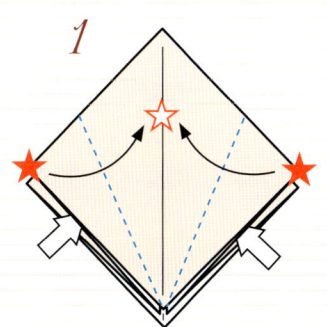

めしべを計3個折ります。

1
「四角折り」(p.9)より、
あいだを開いて
上の1組のみ
★が☆に合うように
谷折りしてのりづけします。
裏も同様にします。

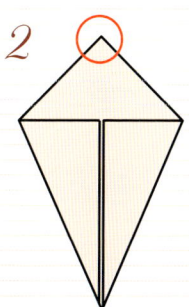

2
できあがり。
○の部分に後で
めしべ用ワイヤーを
通すために
千枚通しなどで
穴を開けます。
同様に計3個つくります。

おしべを折る

おしべを計3個折ります。

1
「四角折り」(p.9)よりあいだを開いて上の1組のみ折り筋をつけます。

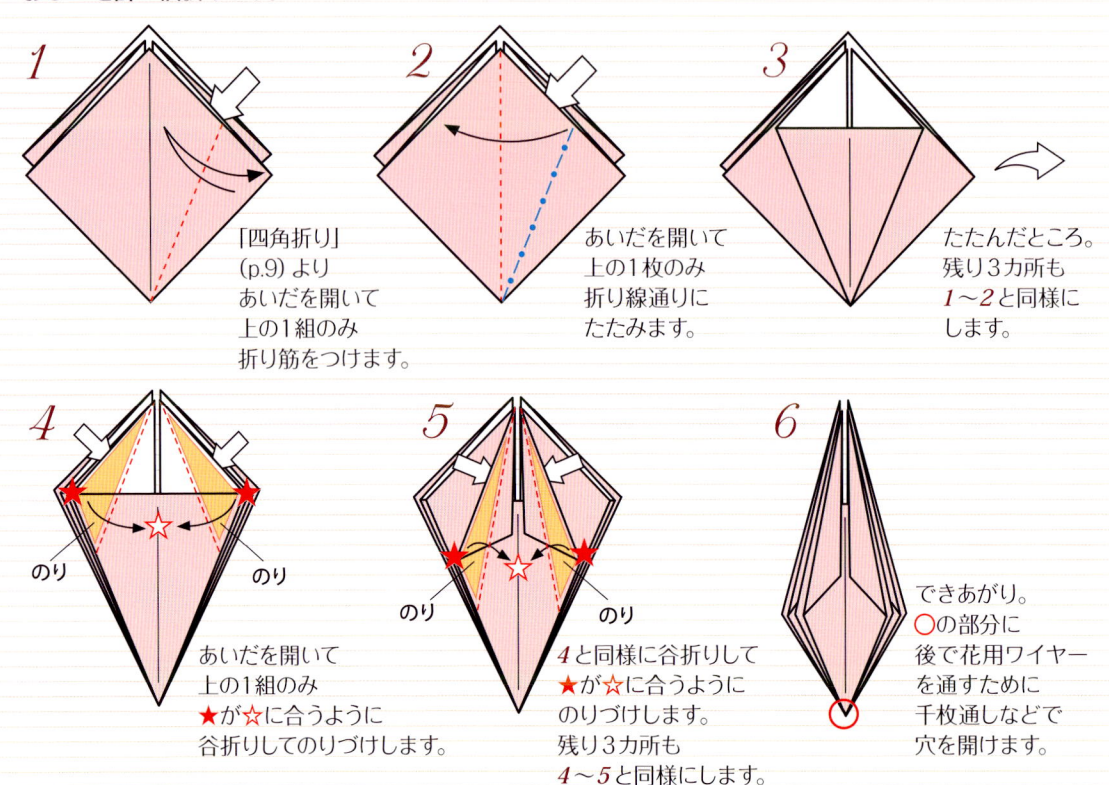

2
あいだを開いて上の1枚のみ折り線通りにたたみます。

3
たたんだところ。残り3カ所も1～2と同様にします。

4
あいだを開いて上の1組のみ★が☆に合うように谷折りしてのりづけします。

5
4と同様に谷折りして★が☆に合うようにのりづけします。残り3カ所も4～5と同様にします。

6
できあがり。○の部分に後で花用ワイヤーを通すために千枚通しなどで穴を開けます。

花を組み立てる

おしべ、めしべ、花びら、ガクを組み立てます。

1
#26白ワイヤー（めしべ用）を油性ペンで赤く塗り、#26ワイヤー（花用）に約0.5cm重ね、花組み立て用和紙で巻いてのりづけします。

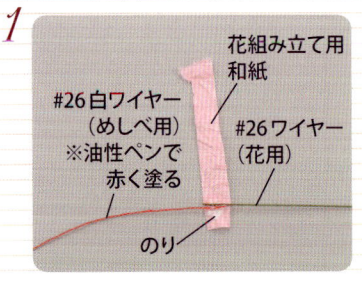

2
巻いたところ。

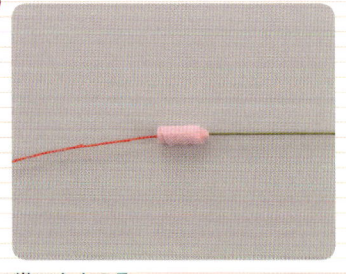

3
おしべの中に花用ワイヤーから差し込み、☆が★にくるようにします。

4
おしべの根元にのりをつけて3を花びら(p.62 10)の中に差し込みます。さらに、花びらの根元にのりをつけてガクに差し込みます。ガクの根元をしっかり押さえます。最後に、めしべ(p.63)をのりづけします。

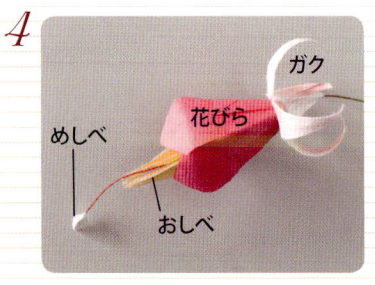

仕上げる

葉は「バラ」の葉(p.25)と同じ折り方で折り、茎に花と葉をつけて仕上げます。

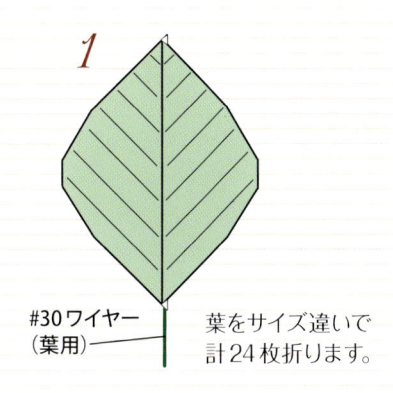

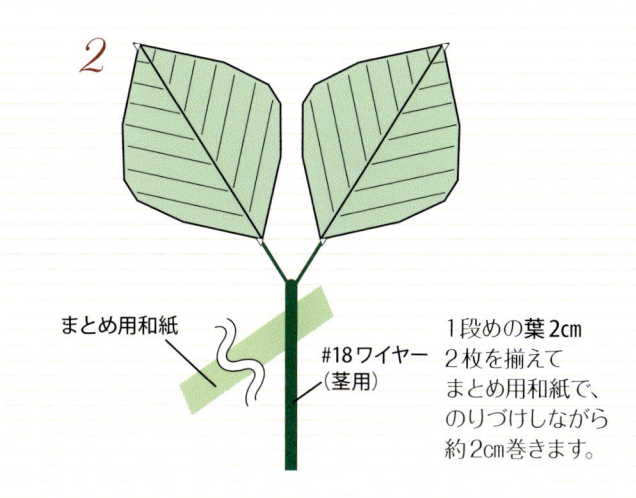

1
#30ワイヤー（葉用）

葉をサイズ違いで計24枚折ります。

2
まとめ用和紙

#18ワイヤー（茎用）

1段めの葉2cm 2枚を揃えてまとめ用和紙で、のりづけしながら約2cm巻きます。

3
4段めの花

同様に、葉を2枚ずつ1.5cm間隔で3段めまでつけます。
4段めに、花1個と葉を2枚つけます。

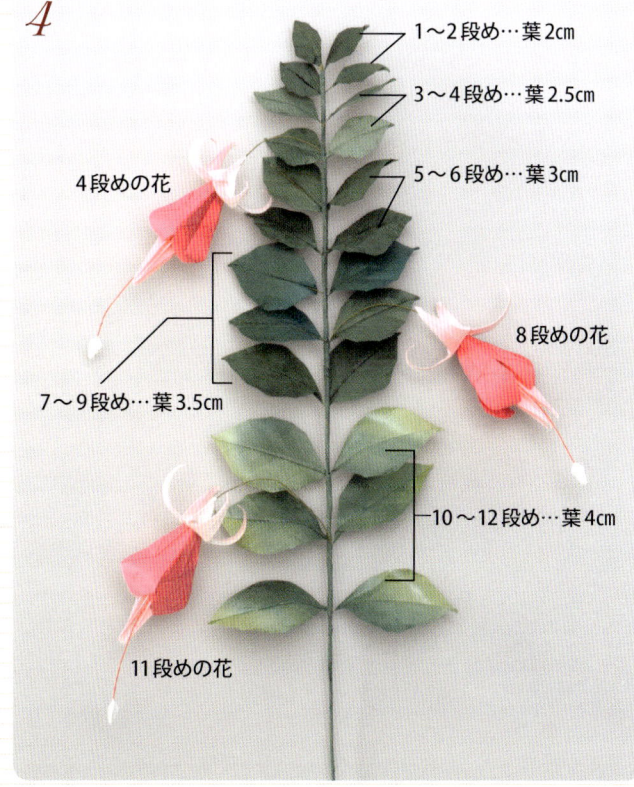

4
1〜2段め…葉2cm
3〜4段め…葉2.5cm
5〜6段め…葉3cm
4段めの花
7〜9段め…葉3.5cm
8段めの花
10〜12段め…葉4cm
11段めの花

完成写真を参考にして、残りの葉と花をつけましょう。
5段め〜9段めまでは2cm間隔で、
10〜12段めまでは、3cm間隔で葉をつけます。
花は、8段めと11段めにつけます。
花や葉の数はお好みで増減してください。

Autumn フクシア

Let's Make Oribana 11

Autumn キク

▶ Information

★紙の種類とサイズ（花各1個分）：
花小…和紙（板締め）小 6㎝×6㎝ 8枚
花大…7.5㎝×7.5㎝ 8枚
葉…和紙（板締め） 6㎝×6㎝ 1枚

Autumn キク

花びらを折り、花を組み立てる

花1個につき、花びらを8枚折り、組み立てます。

1
折り筋をつけます。

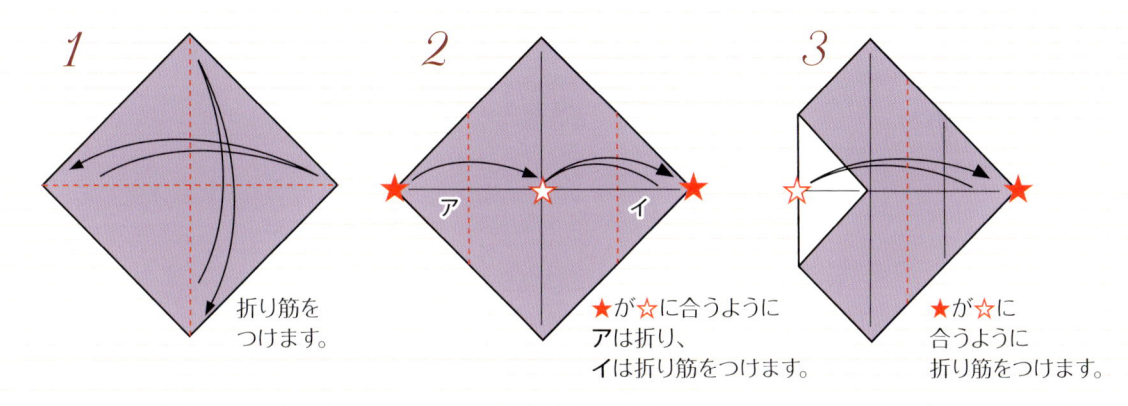

2
★が☆に合うように
アは折り、
イは折り筋をつけます。

3
★が☆に合うように折り筋をつけます。

4
アを開いてイを谷折りしてアを3と同様に折り、開きます。

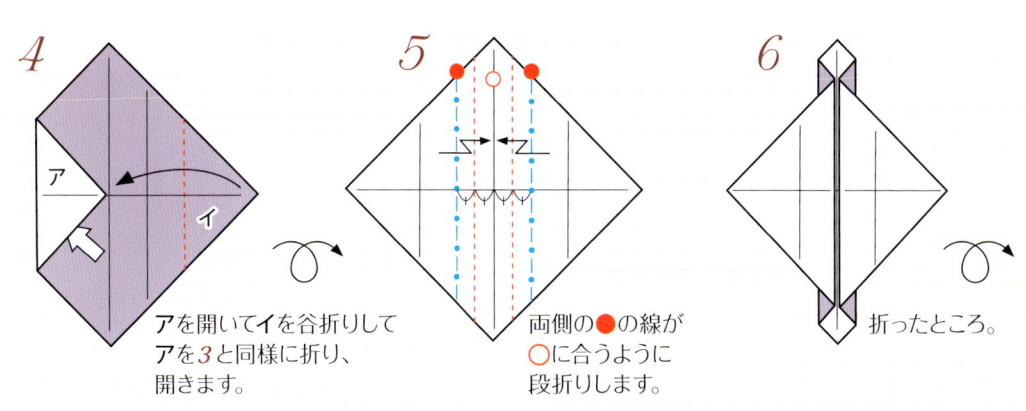

5
両側の●の線が○に合うように段折りします。

6
折ったところ。

7
2でつけた折り線で谷折りします。

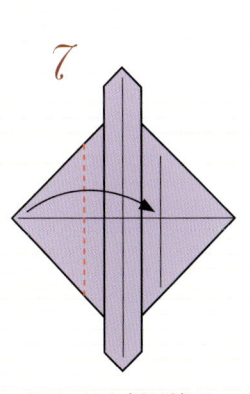

8
☆の線に合わせて谷折りします。

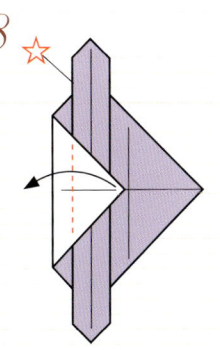

9
折ったところ。
イも7～8と同様に折ります。

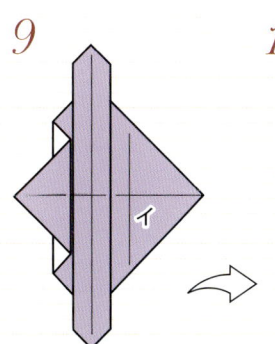

10
まとめて半分に折ります。

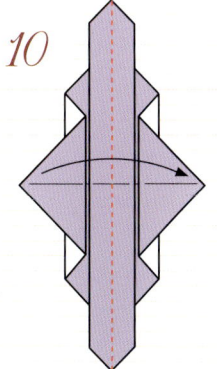

67

11
さらに半分に折って
図の部分を
のりづけします。

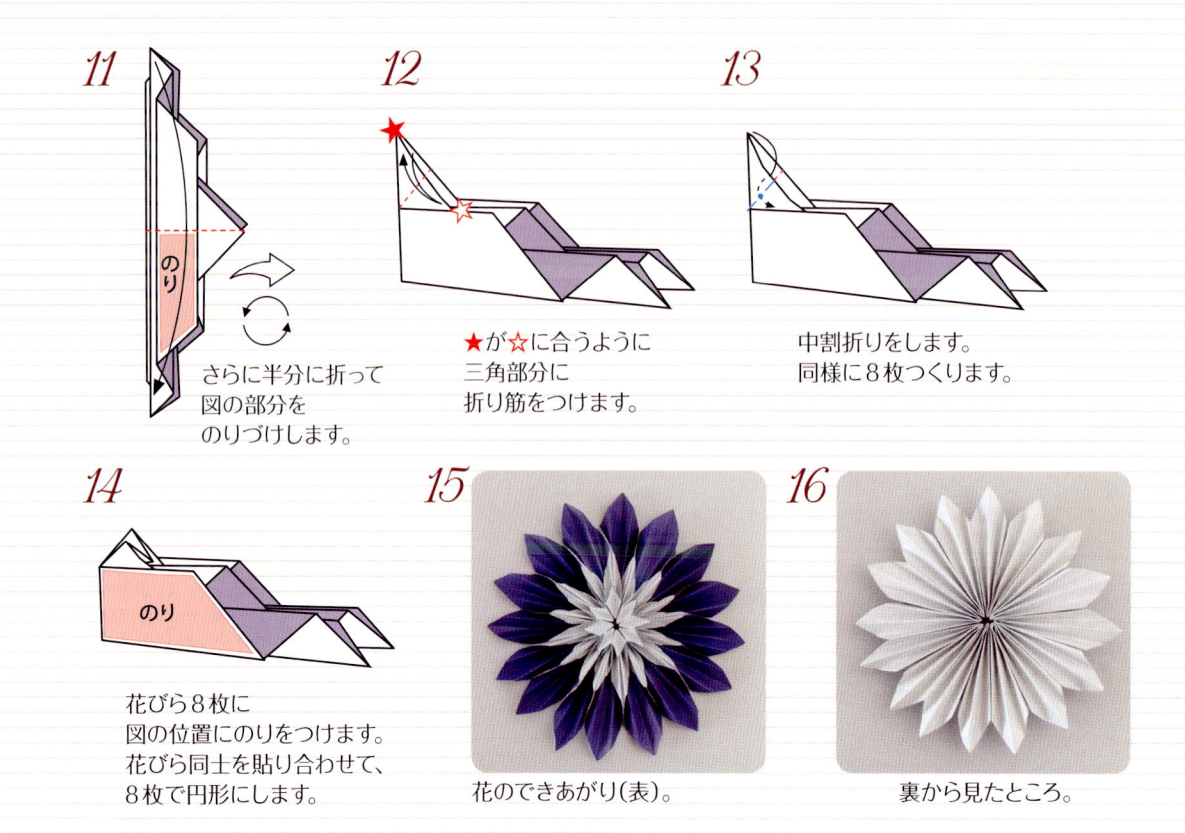

12
★が☆に合うように
三角部分に
折り筋をつけます。

13
中割り折りをします。
同様に8枚つくります。

14
花びら8枚に
図の位置にのりをつけます。
花びら同士を貼り合わせて、
8枚で円形にします。

15
花のできあがり(表)。

16
裏から見たところ。

🌸 葉を折る

葉の枚数はお好みでつくりましょう。

1
表を中にして
半分に折ります。

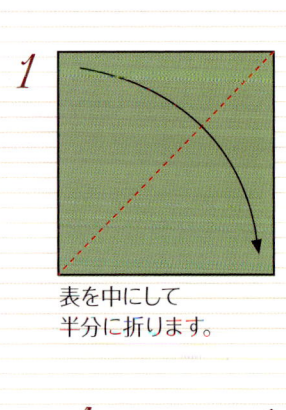

2
2枚一緒に3等分の
折り筋をつけます。

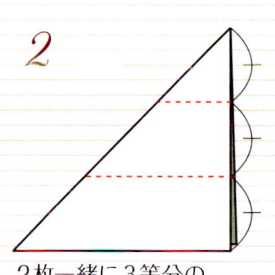

3
さらに図の位置に少し
折り筋をつけます。

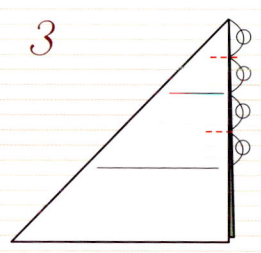

4
2枚一緒に
●が○の線に合うように
それぞれ段折りして
折り筋をつけ、開きます。

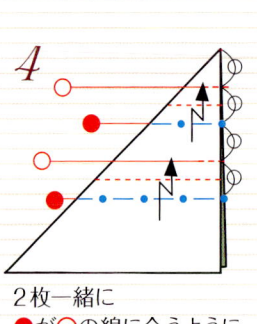

5
折り線を図のように
つけ直してたたみ
半分に折ります。

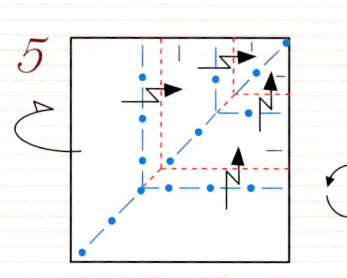

6
のりをつけて
左から順に巻き折りして
最後にまたのりをつけて
とめます。

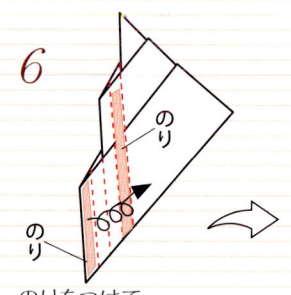

7
あいだを開いて
上の1枚のみ少し斜めに
谷折りしのりづけします。

のり

8
さらに角を少し折って、
のりづけします。

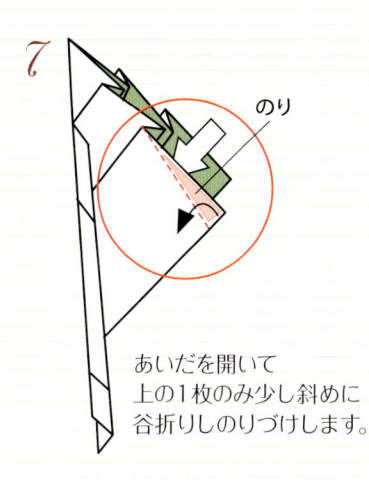

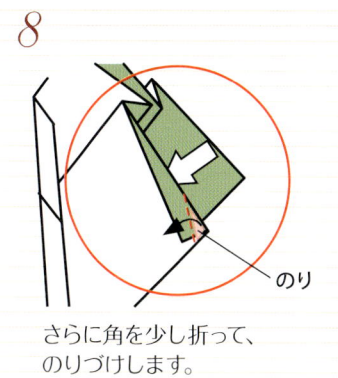

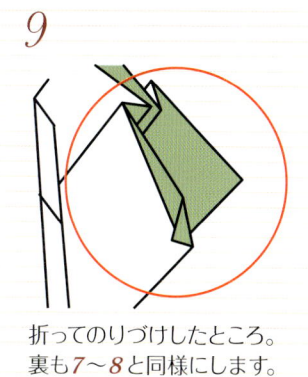

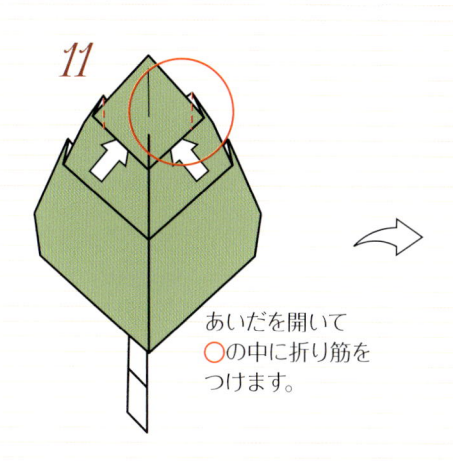

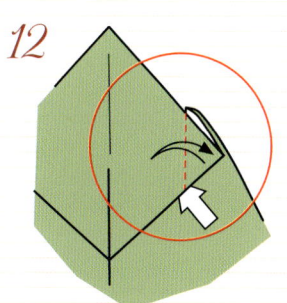

のり

9
折ってのりづけしたところ。
裏も **7〜8** と同様にします。

10
折ったところ。
上の1組を
左に倒します。

11
あいだを開いて
◯の中に折り筋を
つけます。

12
図の位置で
上の1組に
折り筋をつけます。

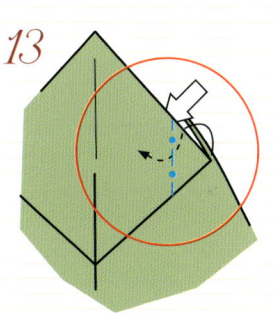

13
あいだを開いて
中割折りをします。
左側も同様にします。

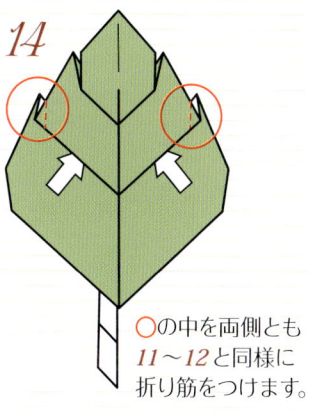

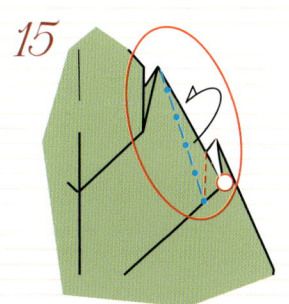

14
◯の中を両側とも
11〜12 と同様に
折り筋をつけます。

15
◯を中に押し込むようにして
折り線通りに折ります。

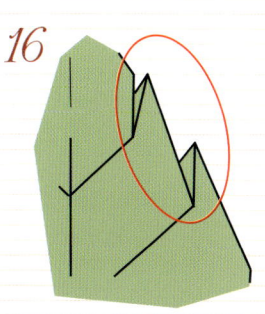

16
折ったところ。
左側も **15** と同様にします。

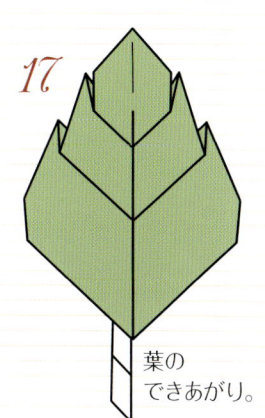

17
葉の
できあがり。

Autumn　キク

69

Let's Make Oribana 12

Autumn 皇帝ダリア

▶ Information

★紙の種類とサイズ（花1組分）：

花びら…和紙（板締め） 15cm×15cm 1枚、
13cm×13cm 1枚、11cm×11cm 1枚、
9cm×9cm 1枚、7cm×7cm 1枚、
5cm×5cm 1枚
花芯…和紙（板締め） 2cm×2cm 1枚
ガク…和紙（板締め） 7cm×7cm 2枚
葉…和紙（板締め） 小4.5cm×4.5cm 18枚、
中5.5cm×5.5cm 12枚、大6.5cm×6.5cm 12枚
まとめ用…和紙（板締め） 0.5cm×63cm 4枚

★その他必要なもの：

#18ワイヤー36cm 1本
（茎用）
#30ワイヤー9cm 42本
（葉用）
#26ワイヤー36cm 6本
（枝用）

Autumn 皇帝ダリア

花びらを折る

花1個につき、花びらをサイズ違いで計6枚折ります。

1 図のように折り筋をつけます。

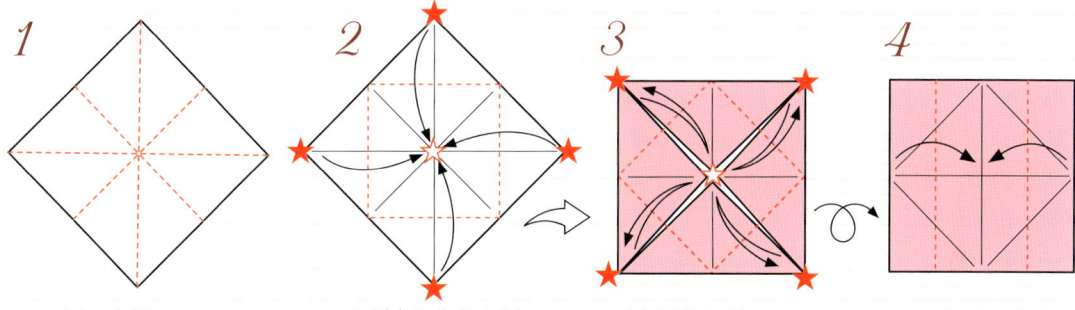

2 ★が☆に合うように谷折りをします。

3 2と同様に折って折り筋をつけます。

4 2で折った三角を折らないようにして図の位置で折ります。

5 折ったところ。4の形に戻します。上下も4と同様に折って戻します。

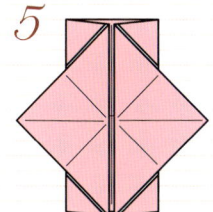

6 ○部分をつまみ、2と同様に裏側の三角を折らないようにして、★が☆に合うようにたたみます。

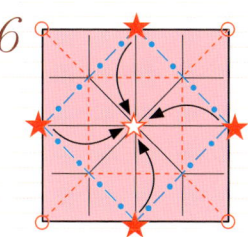

7 つまんで立てた部分（○）をそれぞれ図のように倒し、折り筋をつけます。

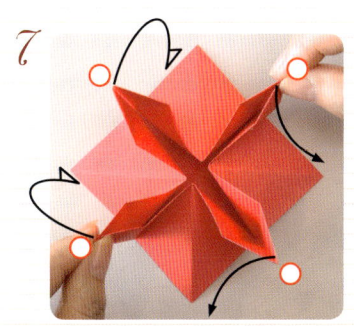

8 ○を倒したところ。

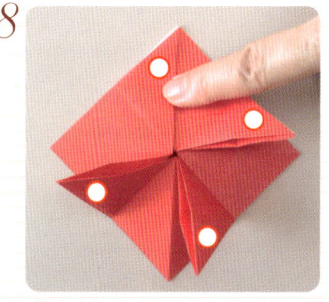

9 8で倒した部分（○）を反対側に倒します。

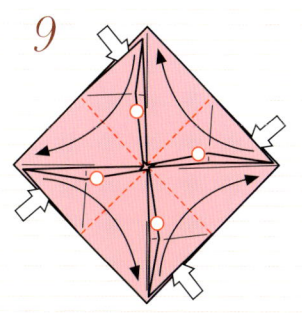

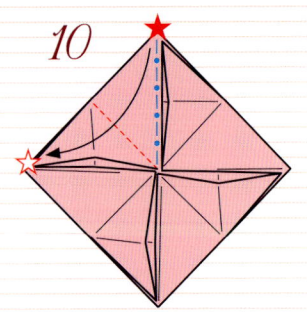

10
★部分を引き出して
★が☆に合うように
折り線通りにたたみます。

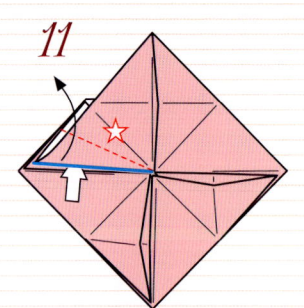

11
10で折った部分の
青線が☆に合うように
谷折りします。

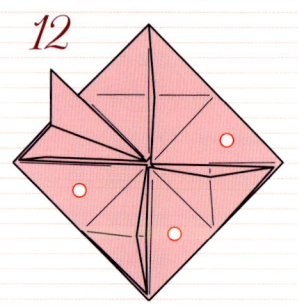

12
折ったところ。
残り3カ所の○部分も
10〜11と同様にします。

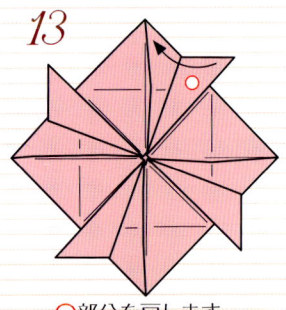

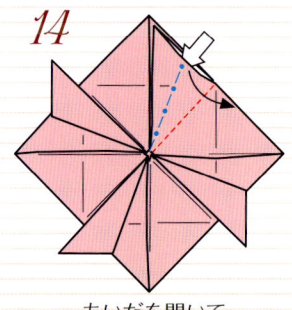

13
○部分を戻します。

14
あいだを開いて
つぶします。

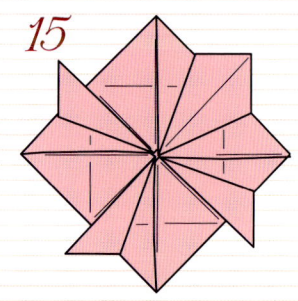

15
つぶしたところ。
残り3カ所も13〜14
と同様にします。

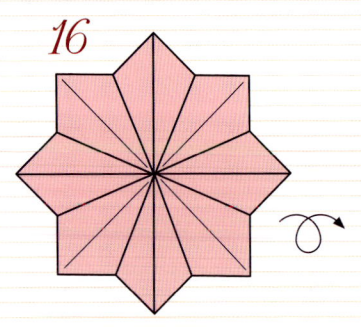

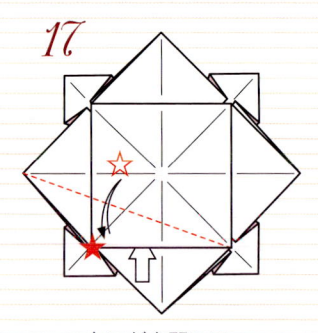

16
折ったところ。

17
あいだを開いて
★が☆に合うように
折り筋をつけます。

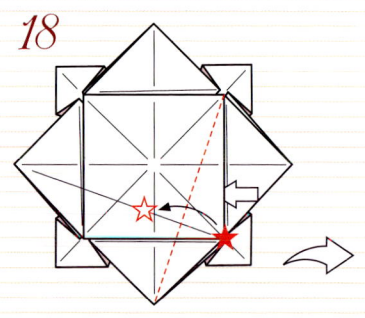

18
あいだを開いて★が☆に
合うように谷折りします。

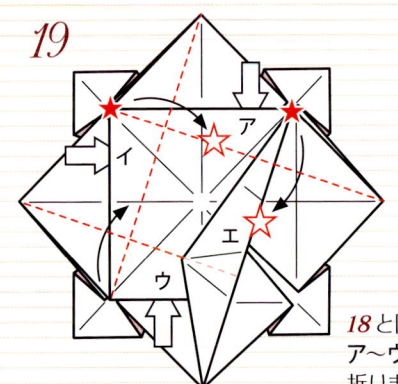

19
18と同様に
ア〜ウまで
折ります。

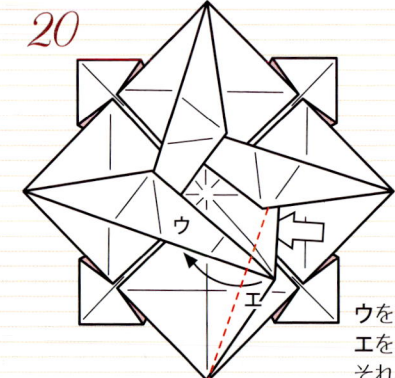

20
ウを折るときは
エを少し開いてウを折り
それからエを戻します。

72

21
○の中を谷折りします。

22
あいだを開いて谷折りします。

23
あいだを開いてつぶします。

24
つぶしたところ残り3カ所も同様にします。

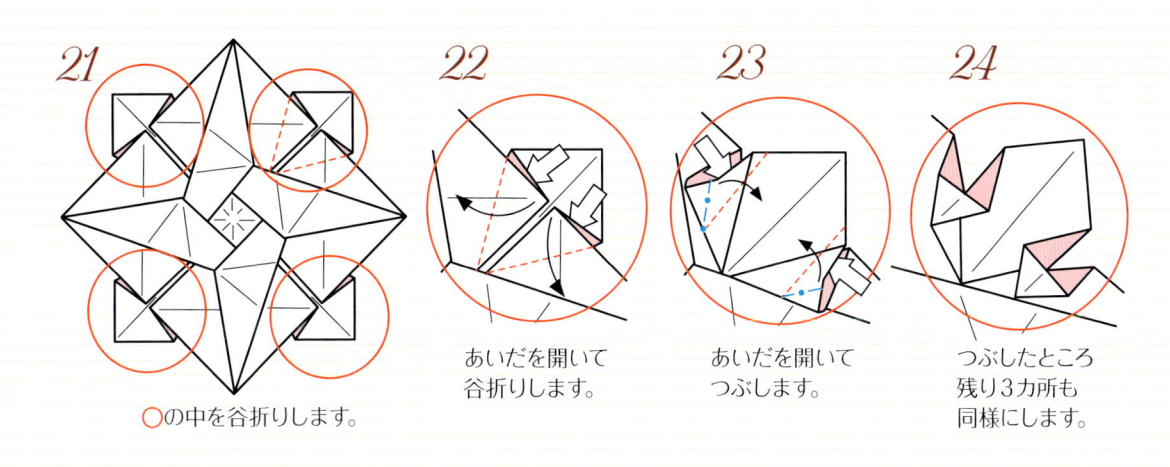

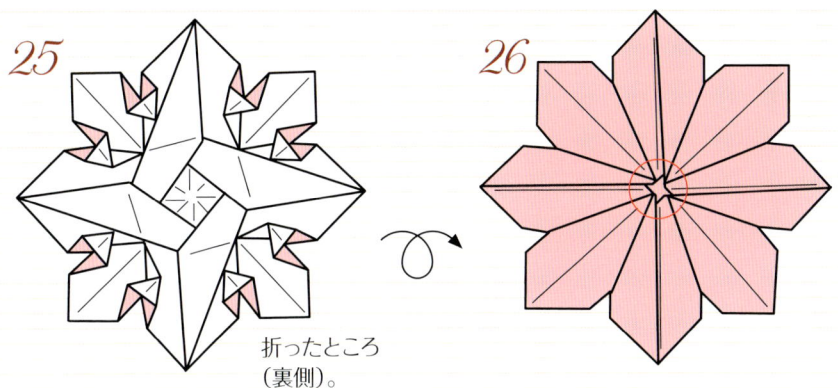

25
折ったところ（裏側）。

26
花びらのできあがり。
大小6枚とも同様に折ります。
一番小さい5cm×5cmは折りにくいですが、○の中が0.7cm以上に広がらないように気をつけましょう（17〜20を正確に折ることがポイント）。

花芯を折る

花芯を1個折ります。

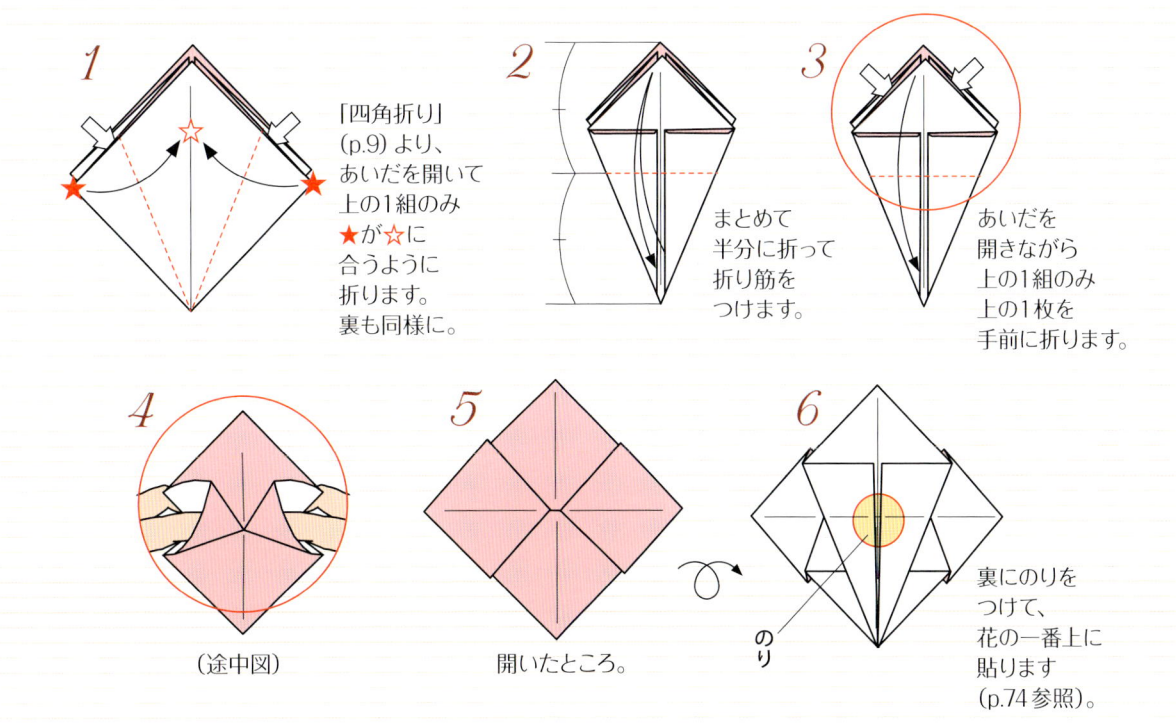

1
[四角折り]（p.9）より、あいだを開いて上の1組のみ★が☆に合うように折ります。裏も同様に。

2
まとめて半分に折って折り筋をつけます。

3
あいだを開きながら上の1組のみ上の1枚を手前に折ります。

4
（途中図）

5
開いたところ。

6
のり

裏にのりをつけて、花の一番上に貼ります（p.74参照）。

73

Autumn 皇帝ダリア

花を組み立てる

6枚の花びら(p.71)をワイヤーに通して組み立て、花芯(p.73)を貼り、花にします。

1
穴 / のり

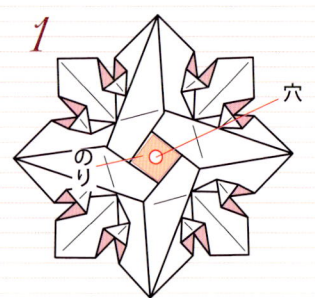

花びらの中心に
千枚通しなどで穴を開け
図のあたりにのりをつけます。

2
花芯 / 花びら6枚 / #18ワイヤー（茎用）

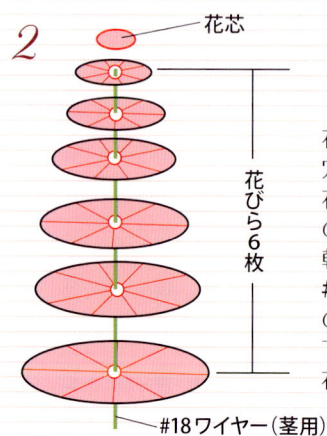

花びらの大きい方から順に
穴の位置を確認しながら
花びらが重ならないように
のりづけして貼り合わせます。
乾いたら、
#18ワイヤー（茎用）の先端に
のりをつけて
下から中心の穴に通し、
花びらの一番上まで差し込みます。

3
ワイヤー

のりづけして
#18ワイヤー（茎用）を
通したところ。
○部分に花芯を
のりづけします。

4
花芯を貼ったところ。
中心（○）を押さえて
中心に向かって
花びらを寄せます。

5
寄せたところ。
花のできあがり。

ガクを折り、花につける

ガクは、「バラ」のガクA（p.24）と同様に折ります。ガクを2個折り、花につけます。

1
ア / イ

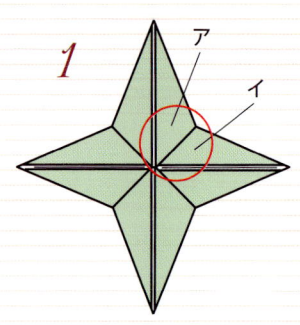

ガクAより、
○の中のア、イを
引き出します。

2
ア / イ

ア、イを半分くらい
引き上げます。

3
引き上げた部分の
あいだを開いて
つぶします。

4
つぶしたところ。
他の3カ所も
同様に。

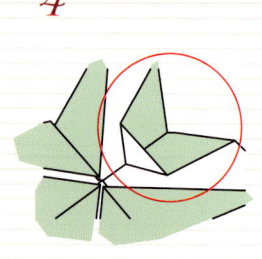

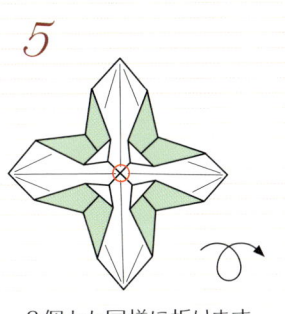

5
2個とも同様に折ります。
○の部分に
千枚通しなどで穴を開けて、
花をつけた
茎用ワイヤー (p.74)
を通します。

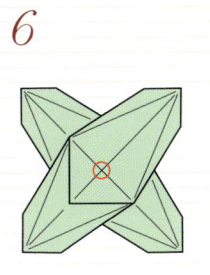

6
○から
茎用ワイヤーを
出します。

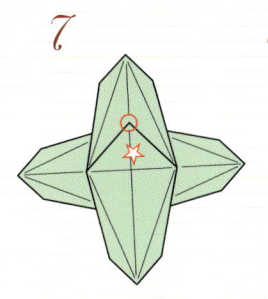

7
2個めのガクは
☆部分を立てて、
○の中から
茎用ワイヤーを
出します。

8
花にガク2個を重ねて
のりづけしたところ。
「バラ」(p.24) の *10〜14* 参照。

Autumn 皇帝ダリア

葉を折って組み立てる

葉を大12枚、中12枚、小18枚、計42枚折ります。葉を7枚1組に組み立てます。

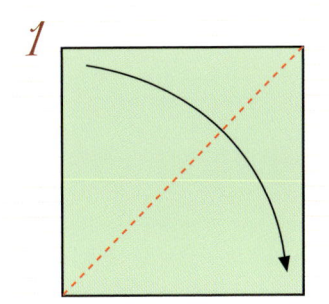

1
表を中にして
半分に折ります。

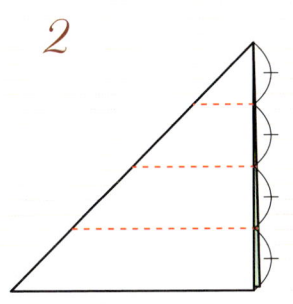

2
2枚一緒に4等分の
折り筋をつけます。

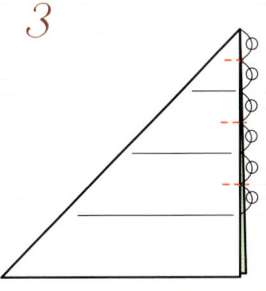

3
さらに図の位置に少し
折り筋をつけます。

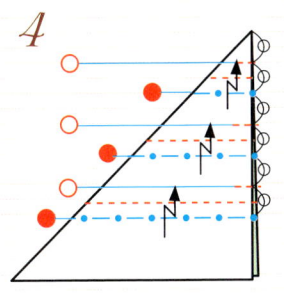

4
2枚一緒に
●が○の線に合うように
それぞれ段折りして
折り筋をつけ、開きます。

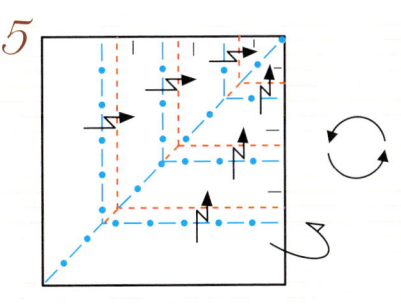

5
折り線を図のように
つけ直してたたみ
半分に折ります。

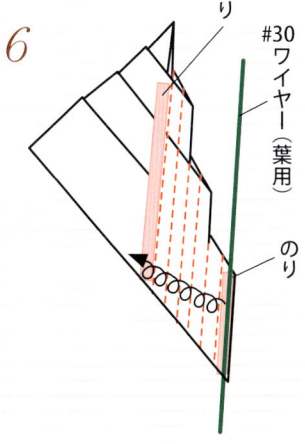

6
図の位置にワイヤーをのせ、
のりをつけて
右から順に巻き折りして、
最後にまた
のりをつけてとめます。

のり
#30ワイヤー（葉用）
のり

75

7

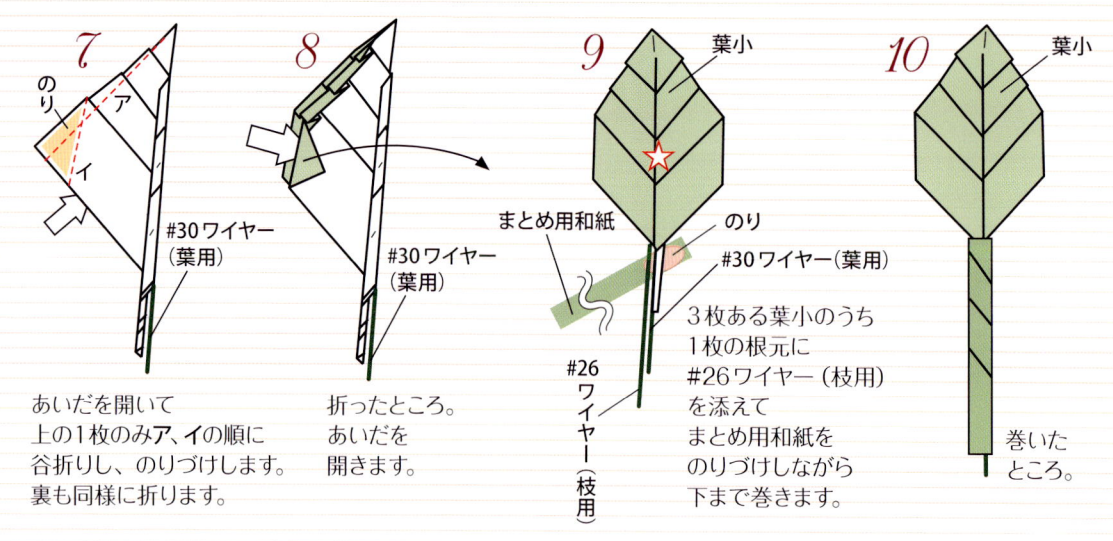

のり
ア
イ
#30ワイヤー（葉用）

あいだを開いて
上の1枚のみア、イの順に
谷折りし、のりづけします。
裏も同様に折ります。

8

#30ワイヤー（葉用）

折ったところ。
あいだを
開きます。

9

葉小
まとめ用和紙
のり
#30ワイヤー（葉用）
#26ワイヤー（枝用）

3枚ある葉小のうち
1枚の根元に
#26ワイヤー（枝用）
を添えて
まとめ用和紙を
のりづけしながら
下まで巻きます。

10

葉小

巻いた
ところ。

11

#26ワイヤー（枝用）
約3cm　葉大
約3cm　葉中
約1.5cm　葉小
葉小　葉中　葉大

葉小の残り2枚、葉中2枚、葉大2枚を、
9の#26ワイヤー（枝用）に、
まとめ用和紙をのりづけしながら巻いて、
左写真のようにつけます。
これを1組とし、
残りの5組も同様に仕上げます。

仕上げる

茎に花と葉をつけて仕上げます。

1段め
2段め
3段め
3cm
5cm
4cm
5cm
5cm

ガクから5cmくらい下に、
1段めの葉を2組、
まとめ用和紙をのりづけしながら
巻いていきます。
残りの葉も同様に巻き、
ワイヤーの最後まで
まとめ用和紙で巻きつけます。

Let's Make Oribana 13
Autumn ブーゲンビリア

▶ Information

★紙の種類とサイズ（花1組分）:
苞…和紙（楮）　9cm×9cm 3枚
花…和紙（雪）　3cm×3cm 9枚
葉…和紙（板締め）　2cm×2cm 1枚、2.5×2.5cm 4枚、
　　3cm×3cm 2枚、3.5cm×3.5cm 2枚、
　　4cm×4cm 3枚
まとめ用…和紙（板締め）　0.5cm×63cm 1枚

★その他必要なもの:
#26ワイヤー12cm 3本（苞用）
ペップ小9本（花用）
#30ワイヤー9cm 12本（葉用）
#18ワイヤー36cm 1本（茎用）

小さい花を折る

小さい花の紙は五角形に切り取り、開きます（p.10）。小さい花は9個折ります。

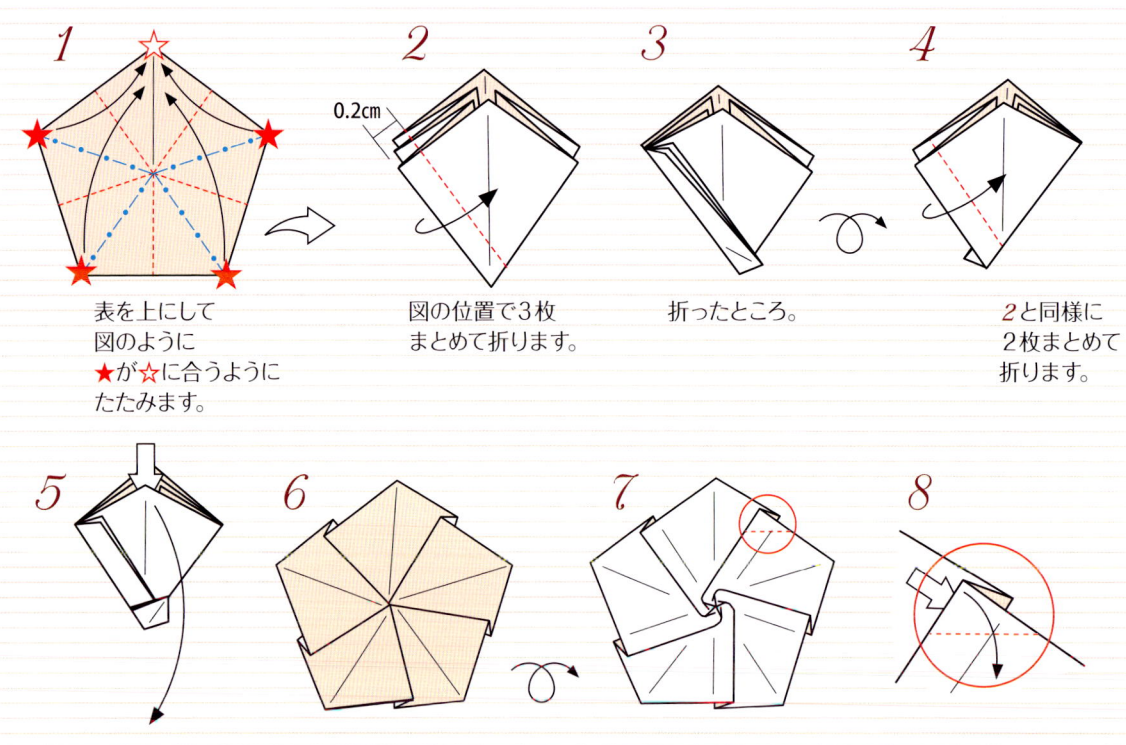

1 表を上にして図のように★が☆に合うようにたたみます。

2 図の位置で3枚まとめて折ります。

3 折ったところ。

4 2と同様に2枚まとめて折ります。

5 上の1枚を開きながら全体を開きます。

6 開いたところ。

7 ○の中を折ります。

8 ○の中のあいだを開いて三角に折ります。

9 ☆を谷折りします。のりづけします。

10 折ったところ。残り4カ所も同様に。

11 全体を折ったところ。

12 ○の中にペップ（花用）を通す小さい穴を開けます。

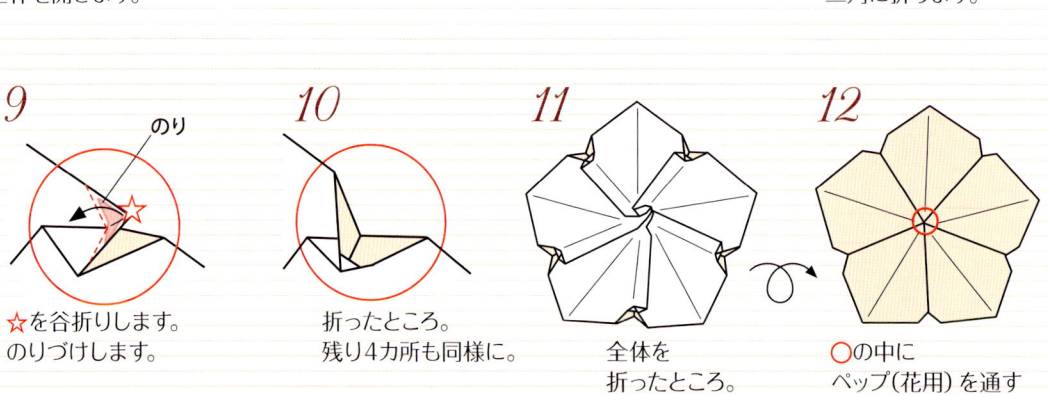

78

13
ペップを約4.5cmのところで切り取ります。

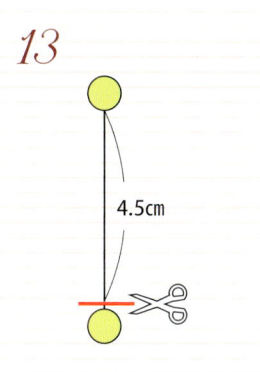

14
のり

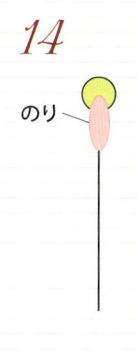

図のあたりにのりをつけます。

15
花の中心の穴に差し込み、根元を少し絞ってのりづけします。

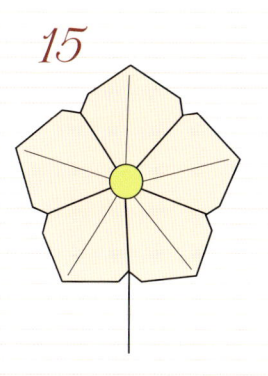

16
まとめ用和紙　#26ワイヤー 12cm（苞用）

花3本を長さを変えてまとめ、#26ワイヤー（苞用）を1本添えてまとめ用和紙で巻き、のりづけします。

Autumn ブーゲンビリア

苞（ほう）を折る

白い花を覆う、赤やピンクの部分は花びらではなく、苞と呼ばれる葉の一部です。
苞は3個折ります。

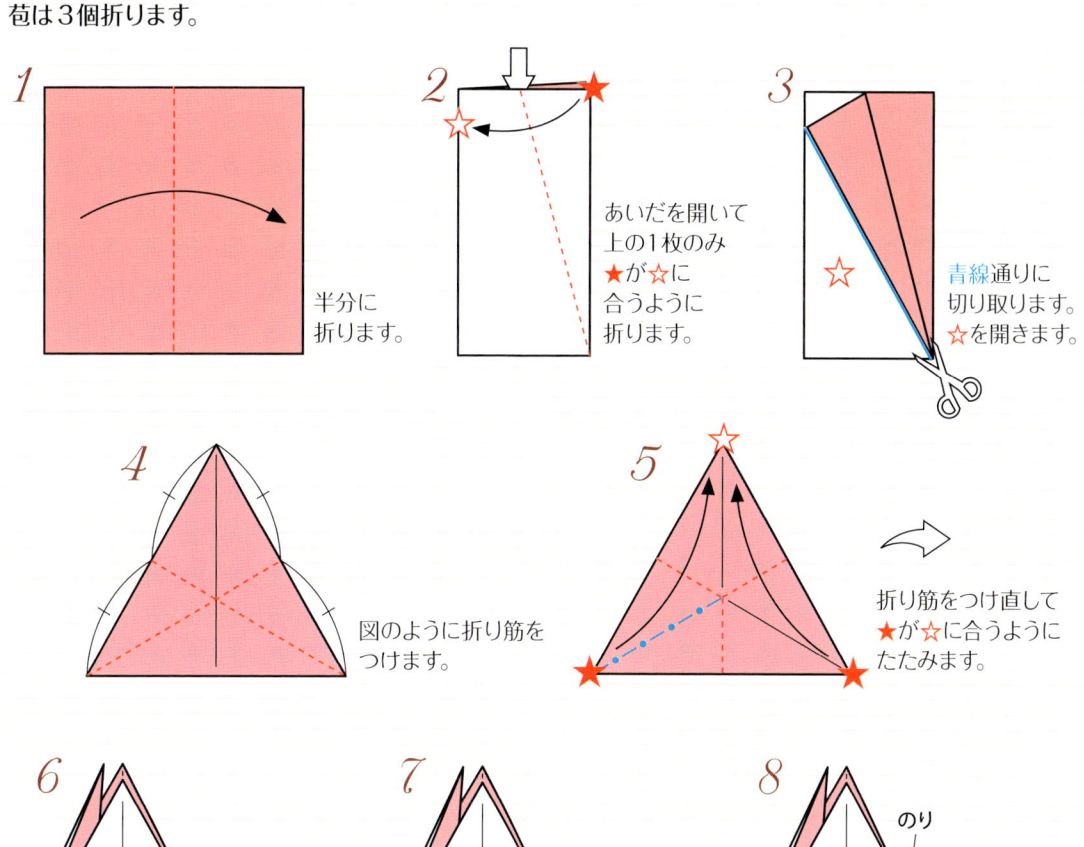

1
半分に折ります。

2
あいだを開いて上の1枚のみ★が☆に合うように折ります。

3
青線通りに切り取ります。☆を開きます。

4
図のように折り筋をつけます。

5
折り筋をつけ直して★が☆に合うようにたたみます。

6
★が☆に合うように折り筋をつけます。

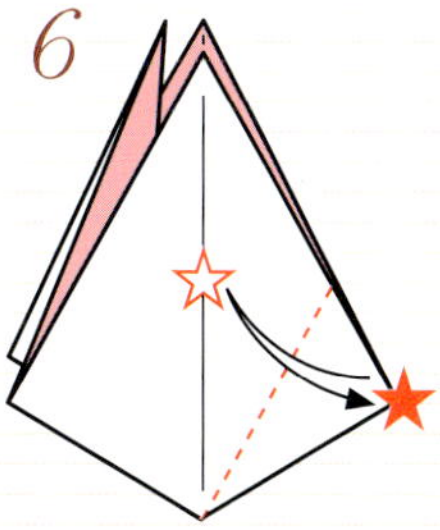

7
★が☆に合うように谷折りします。

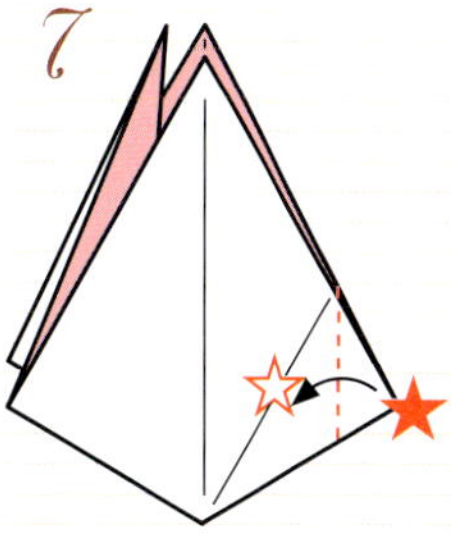

8
のり

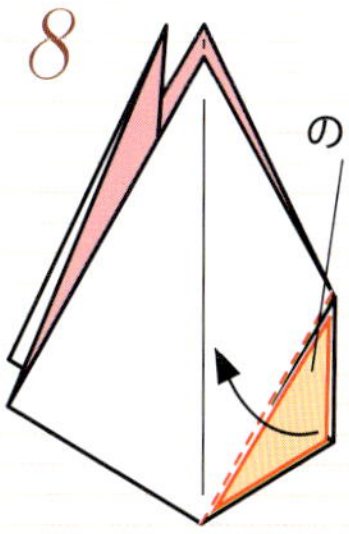

6でつけた折り線通りに谷折りしてのりづけします。

79

9
のりづけしたところ。
残り2カ所も
同じ側を **6〜8** まで
同様にします。

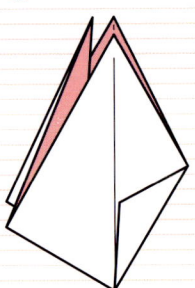

10
苞のできあがり。
〇部分に
千枚通しなどで
穴を開けます。

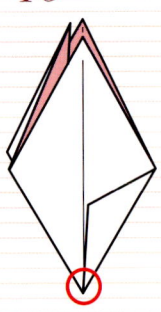

11
苞の上を開いて
中に花を1組差し込み、
苞の根元を
のりづけします。

12
まとめ用の
和紙

まとめ用の和紙を
のりづけしながら
少し巻きます。

葉を折る

葉を折って、葉の芯になるワイヤーを貼ります。
葉はサイズ違いで計12枚折ります。

1
折り筋を
つけます。

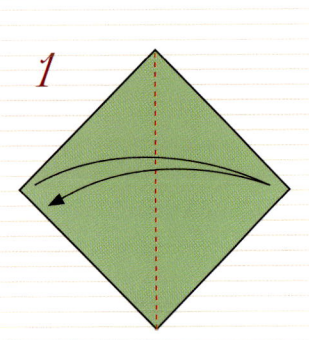

2
のり
#30ワイヤー（葉用）

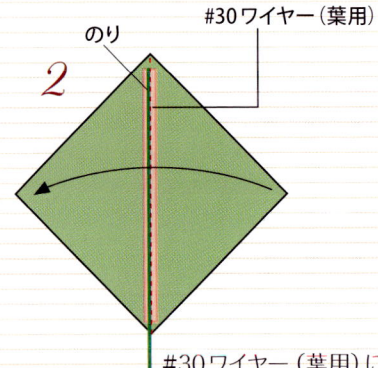

#30ワイヤー（葉用）に
のりをつけて
中心に置き
谷折りします。

3
ワイヤーの上を
しっかり指で
押さえてから
あいだを開きます。

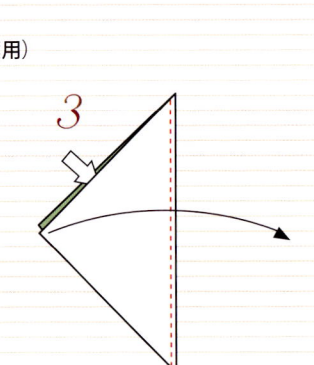

4
両側を
少し山折りして
のりづけします。

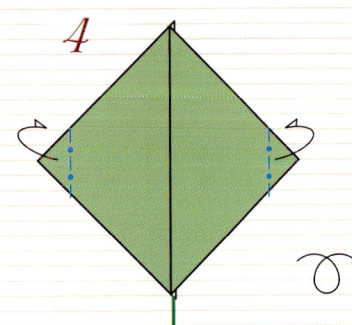

5
4で折った三角の上下を
少し谷折りして角を取り、
のりづけします。

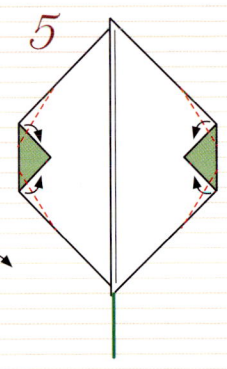

6
折ったところ。

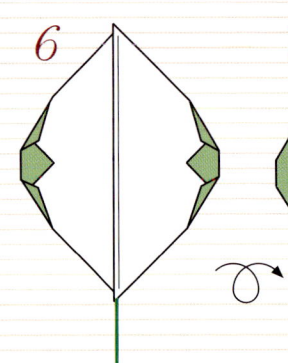

7
葉の
できあがり。

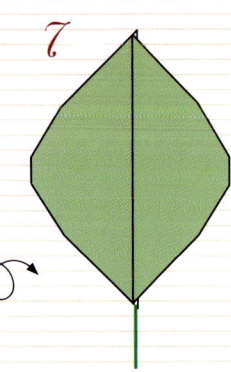

仕上げる

花と葉を茎のワイヤーにつけて、仕上げます。

Autumn ブーゲンビリア

1

花ア、葉2cm、葉2.5cm、花イ、葉2.5cm、花ウ、葉2.5cm

花アは、葉2cmと葉2.5cmを各1枚、
花イは葉2.5cm 1枚、
花ウは葉2.5cm 2枚を
それぞれつけて、
まとめ用和紙を
のりづけしながら巻きます。

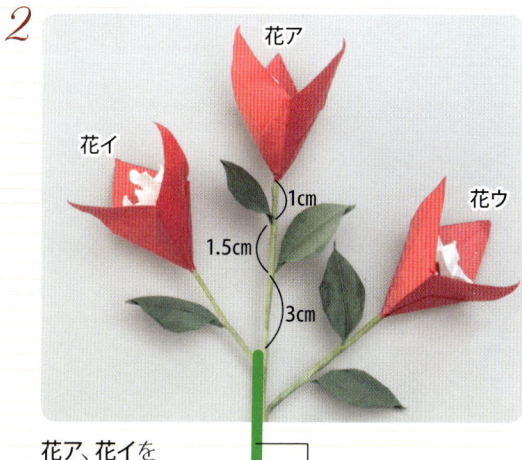

2

花ア、花イ、1cm、1.5cm、3cm、花ウ
#18ワイヤー36cm（茎用）

花ア、花イを
つけたところで
#18ワイヤー（茎用）
を添え、
まとめ用和紙で少し巻き、
さらに花ウを添えて巻きます。

3

3cm、葉3cm、葉3cm、2cm、葉3.5cm、2cm、葉3.5cm、2.5cm、葉4cm、2.5cm、葉4cm、3cm、3cm、葉4cm

※飾るときは、花を下向きにするのがおすすめです。

残りの葉を写真を参考に
つけましょう。
花や葉の数などは
お好みで増減してください。

Let's Make Oribana 14
Autumn キキョウ

▶ Information

★紙の種類とサイズ（花1組分）：
花…和紙（板締め）13cm×13cm 1枚
花芯…和紙（板締め）4cm×4cm 1枚
ガク…和紙（板締め）4.5cm×4.5cm 1枚
葉…和紙（板締め）小 3cm×3cm 4枚、
中 3.5cm×3.5cm 4枚、大 4cm×4cm 4枚
まとめ用…和紙（板締め）0.5cm×63cm 1枚

★その他必要なもの：
#18ワイヤー36cm 1本（茎用）
#30ワイヤー9cm 12本（葉用）

Autumn キキョウ

花を折る

花の紙は表を中に、花芯の紙は表を外にして、ともに五角形に切り取り、開きます(p.10)。

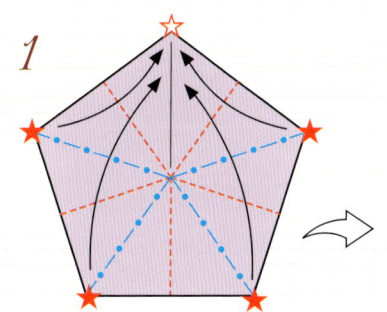

1
花の紙の表を上にして
図のように折り筋をつけ直して
★が☆に合うようにたたみます。

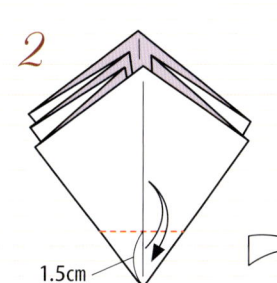

2
下から1.5cmのところで
谷折りして折り筋を
つけ、開きます。

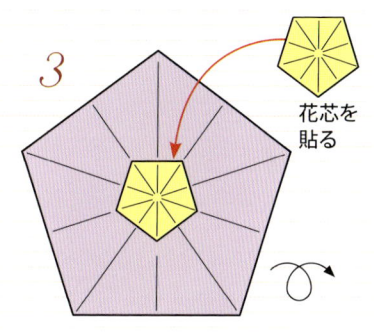

3
花芯を貼る
2でつけた折り筋に合わせて
花芯を紙の表を上にして
のりで貼り、乾かします。

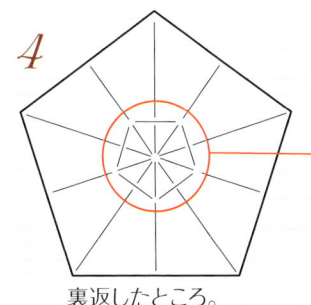

4
裏返したところ。
○の中を沈めるように
折ります。

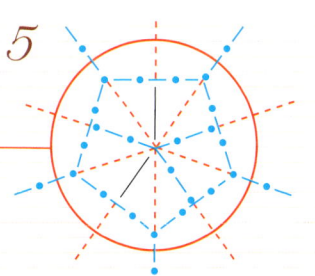

5
ついている折り筋を
図のように折り直して
中心を沈めるようにたたみます。

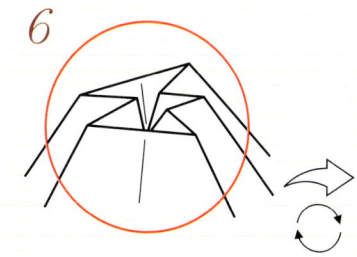

6
折ったところ。

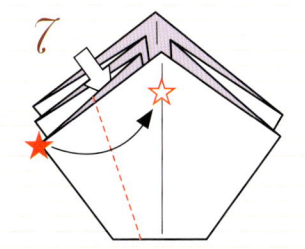

7
あいだを開いて
上の1組を
★が☆に合うように
谷折りします。

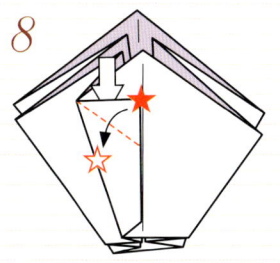

8
あいだを開いて
上の1組を
★が☆に合うように
谷折りします。

9
折ったところ。
7の形に戻します。
残り4カ所も7〜9まで
左側を同様にします。

83

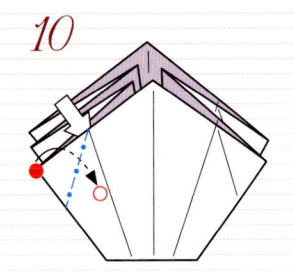

10
あいだを開いて
●が○に合うように
8でつけた折り筋を
山折りして中に入れます
（5カ所とも）。

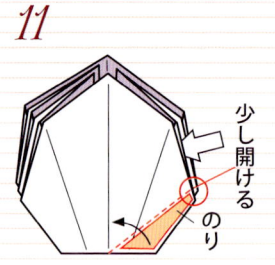

11
図の位置で
谷折りして
のりづけします。

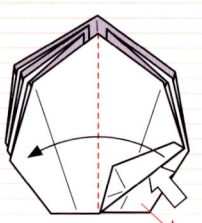

少し開ける
のり

12
上の1枚を
左に倒して
☆部分を**11**と
同様にします。

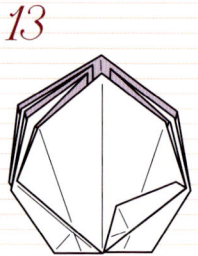

13
のりづけしたところ。
残り3カ所も
11〜12と
同じ方向に折って
のりづけします。

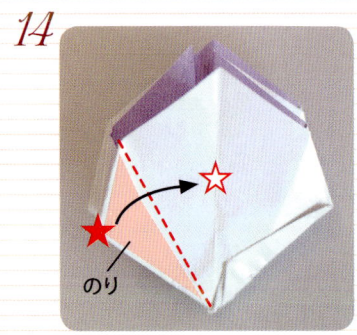

14
あいだを開いて
★が☆に合うように折って
のりづけします。

のり

15
のりづけしたところ。
残り4カ所も
14と同様にします。

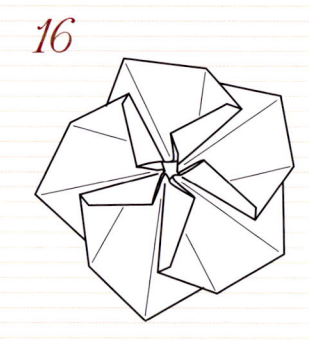

16
折ったところ
（裏から見たところ）。

ガクを折り、花につける

ガクは、バラのガクB(p.24)と同様に折ります。ガクを1個折り、花につけます。

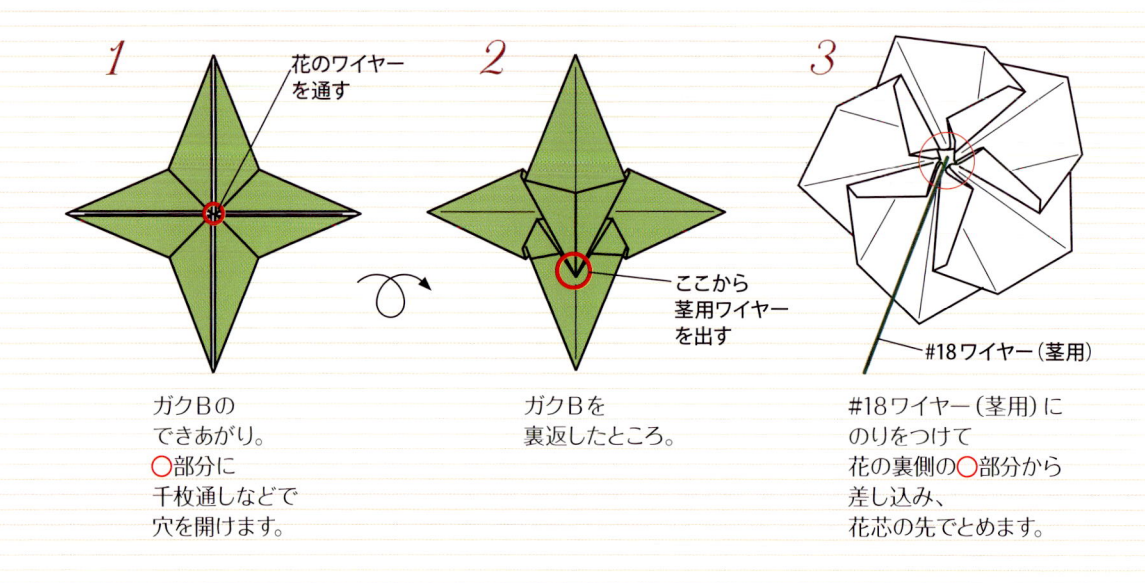

1
花のワイヤー
を通す

ガクBの
できあがり。
○部分に
千枚通しなどで
穴を開けます。

2
ここから
茎用ワイヤー
を出す

ガクBを
裏返したところ。

3
#18ワイヤー（茎用）

#18ワイヤー（茎用）に
のりをつけて
花の裏側の○部分から
差し込み、
花芯の先でとめます。

4

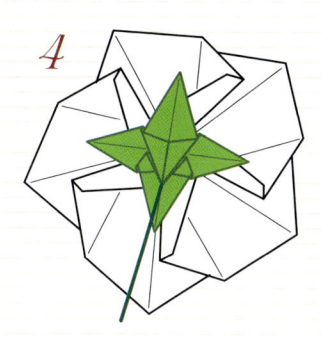

さらに*3*のワイヤーを
ガクに通して
貼り合わせます。

5

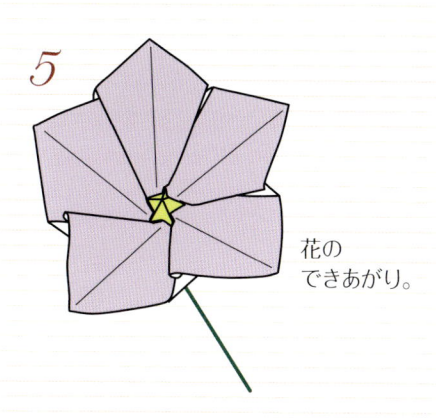

花の
できあがり。

仕上げる

葉をサイズ違いで計12枚折って、花の茎につけて仕上げます。

1

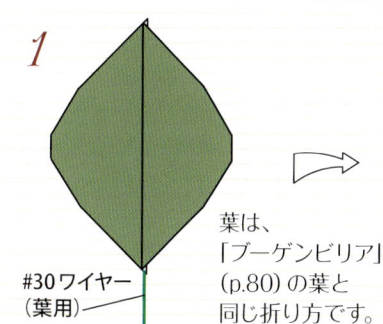

#30ワイヤー
（葉用）

葉は、
「ブーゲンビリア」
（p.80）の葉と
同じ折り方です。

2

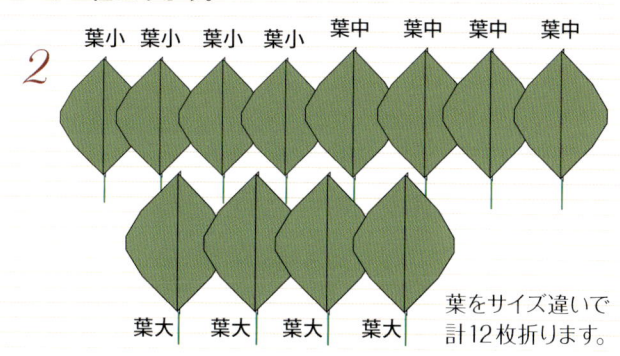

葉小 葉小 葉小 葉小 葉中 葉中 葉中

葉大 葉大 葉大 葉大

葉をサイズ違いで
計12枚折ります。

3

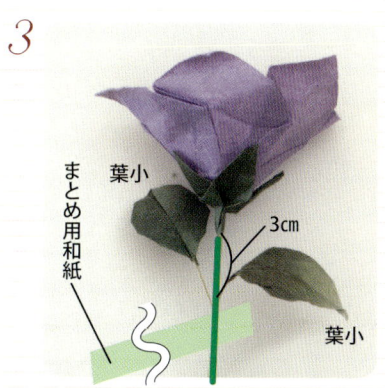

まとめ用和紙

3cm

葉小

葉小

花のガクの下から3cmのところに、
葉小2枚を向かい合わせにつけ、
まとめ用和紙でのりづけしながら
巻きつけます。

4

葉小　　　　　葉小
葉中
　　　　　　　葉中
葉中
　　　　　　　葉中
葉大
　　　　　　　葉大

葉大

3〜4cm間隔で、
残りの葉を
2枚ずつ
茎につけます。
葉の枚数は、
お好みで
増減してください。

※花と葉だけをつくって飾っても
　可愛いです。

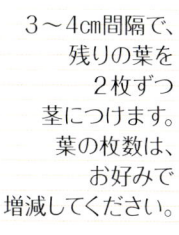

Autumn キキョウ

85

Let's Make Oribana 15

Winter　ツバキ

▶ Information

★紙の種類とサイズ（花1組分）：
花…和紙（板締め）　13㎝×13㎝ 1枚
花粉…和紙（板締め）　0.5㎝×33㎝ 1枚、
花芯…和紙（細川晒し楮 中厚口）　2.5㎝×33㎝ 1枚
葉…和紙（板締め）　4×4㎝ 1枚

★その他必要なもの：
#30ワイヤー 9㎝ 1本（葉用）

Winter ツバキ

花と葉を折る

花の紙は五角形に切り取り、開きます（p.10）。

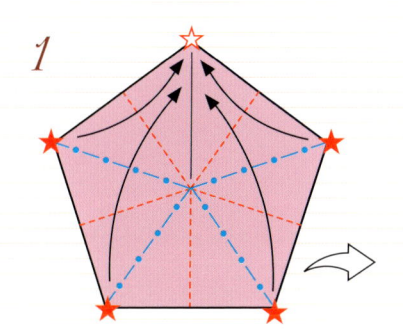

1
表を上にして図のように
折り筋をつけ直して
★が☆に合うようにたたみます。

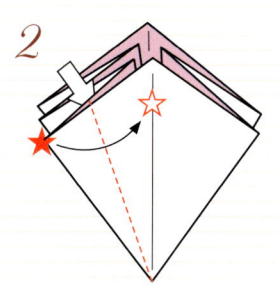

2
あいだを開いて
上の1組を
★が☆に合うように
谷折りします。

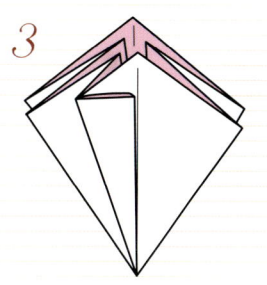

3
折ったところ。
残り4カ所も左側を
2と同様にします。

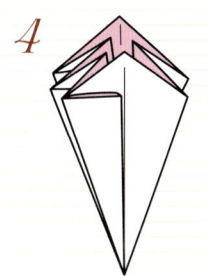

4
折ったところ。
上を少し広げます。

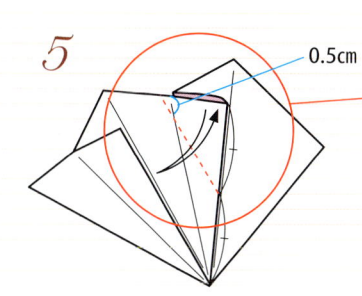

5
0.5㎝

2で折ったところを
図の位置で斜めに折って
折り筋をつけます。

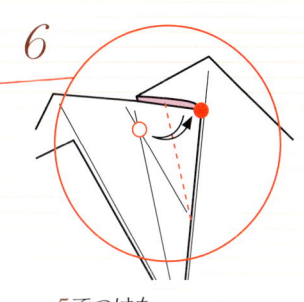

6
5でつけた
折り筋（○）と●が
合うように折り筋をつけます。

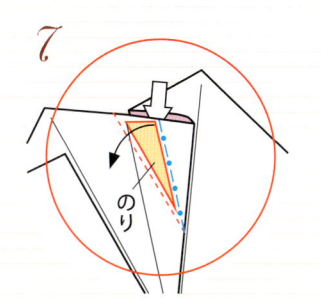

7
あいだを開いて
三角につぶし
図の部分をのりづけします。

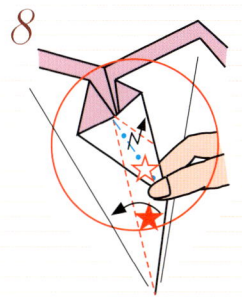

のり

8
☆を山折り線で
つまむようにしながら
★を谷折りして立てます。

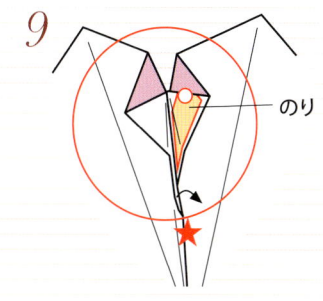

9
のり

7と同様に○の裏側をのりづけします。
★部分を右に倒し、のりづけします。
残り4カ所も5～9まで同様に。

87

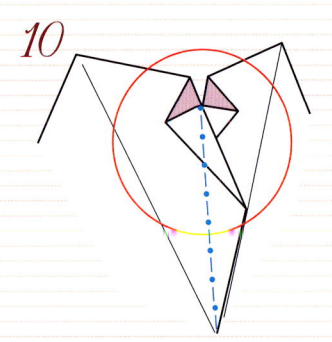

10
図の位置を5カ所とも
山折りして形を整えます。

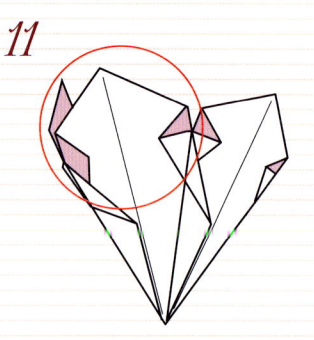

11
形を整えたところ。
上から見ます。

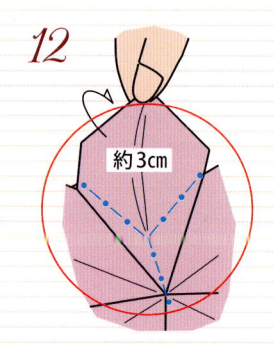

12
約3cm

先をつまんで図のあたりを
5カ所とも山折りします。

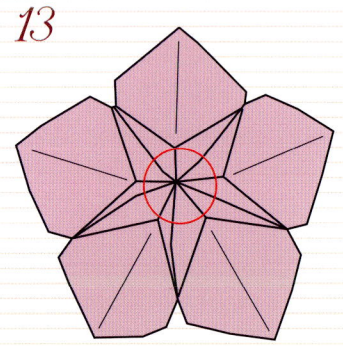

13
折ったところ。
中心(○)に
花芯を入れます。

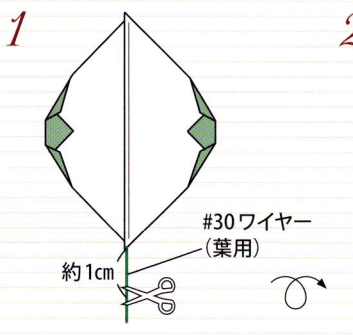

◆ 葉を折る

1
約1cm
#30ワイヤー
(葉用)

「ブーゲンビリア」の葉(p.80)
の**6**まで同様に折ります。
#30ワイヤー(葉用)を
約1cm残して切り取ります。

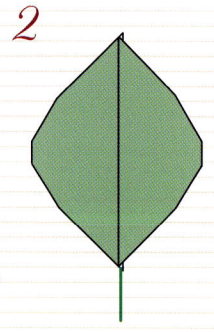

2
葉の
できあがり。

仕上げる

花芯をつくり、花につけます。

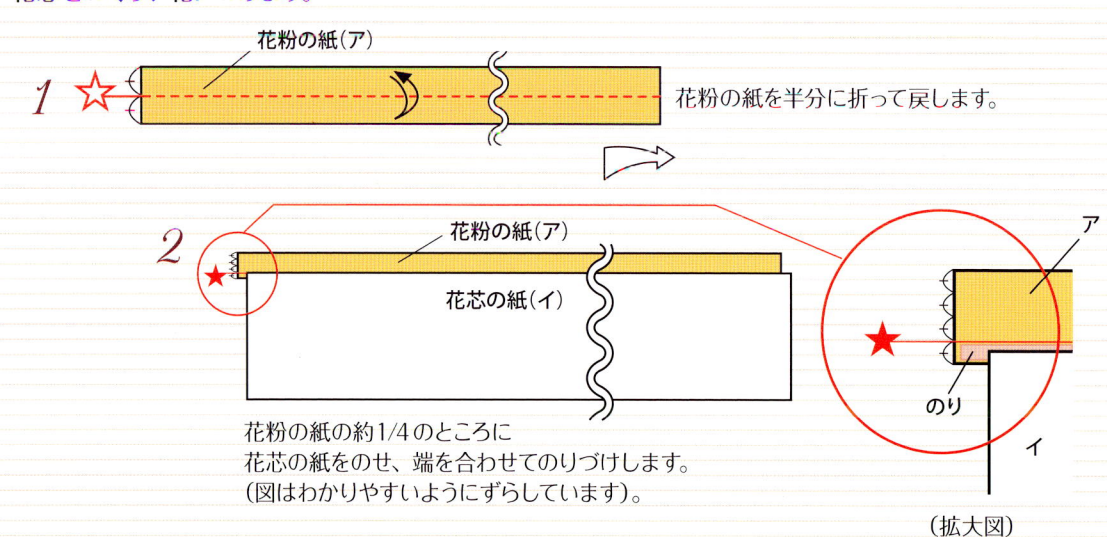

1
花粉の紙(ア)

花粉の紙を半分に折って戻します。

2
花粉の紙(ア)
花芯の紙(イ)

花粉の紙の約1/4のところに
花芯の紙をのせ、端を合わせてのりづけします。
(図はわかりやすいようにずらしています)。

ア
のり
イ
(拡大図)

Winter ツバキ

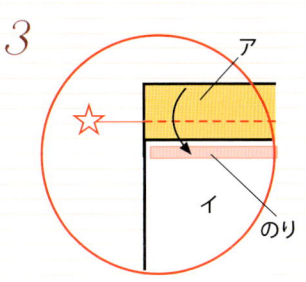

3
ア
のり
イ

1で折った線で折り、
のりをつけて
アと**イ**を貼り合わせます。

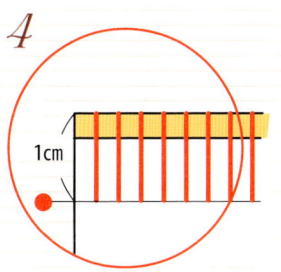

4
1cm

上から●の線あたりまで
端から細かく切り込みを
入れます。

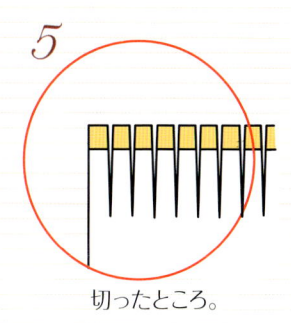

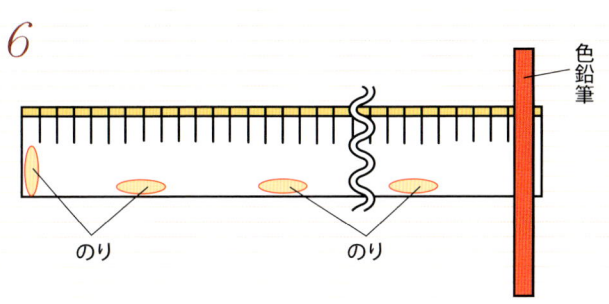

5

切ったところ。

6
色鉛筆
のり　　のり

端に色鉛筆をのせて巻きつけます。
下端を揃えながら4〜5cm巻いたところで
根元を少しのり付けします。

7
色鉛筆

のりづけしながら巻き、
最後をのりでとめて
色鉛筆をぬきます。

8

花の中心に
花芯を入れてのりづけします。
花芯は、
根元を少しすぼめておくと
入れやすいです。

※いろいろな色の紙を使って
色とりどりのツバキの花を
咲かせましょう。

🌸 Let's Make Oribana 16

Winter シクラメン

▶ Information

★紙の種類とサイズ（花1組分）：
花…和紙（板締め）　13cm×13cm 1枚
花芯…和紙（板締め）　1.5cm×9cm 1枚
ガク…和紙（板締め）　3cm×3cm 1枚
葉…和紙（板締め）　7.5cm×7.5cm 1枚
まとめ用…和紙（板締め）　0.5cm×63cm 1枚

★その他必要なもの：
#18ワイヤー36cm 1本（花芯用）
#26ワイヤー12cm 1本（葉用）
#20ワイヤー12cm 1本（茎用）

Winter シクラメン

花を折る

花の紙は六角形に切り取り、開きます(p.11)。

1 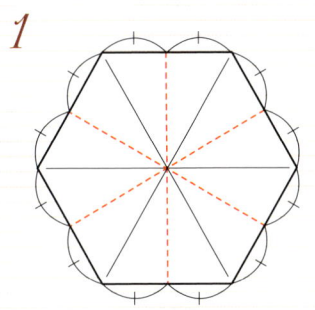
裏を上にして図の位置に谷折りの折り筋をつけます。

2 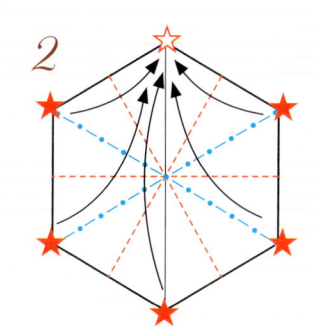
折り筋をつけ直して★が☆に合うようにたたみます。

3 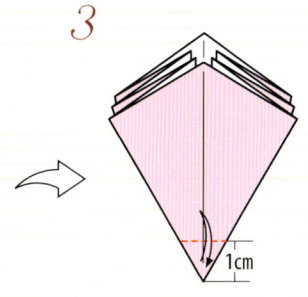
まとめて折り筋をつけます。

4 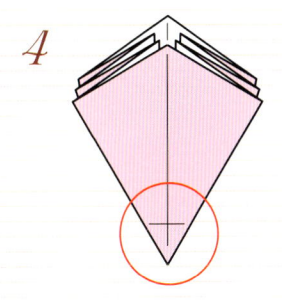
○の中を開きます。

5 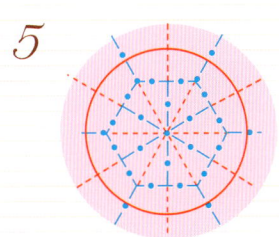
○の中の折り筋をつけ直して中心を沈めるように折りたたみます。

6 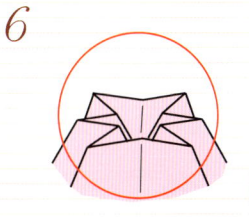
折りたたんでいるところ。*1*のように開きます。

7 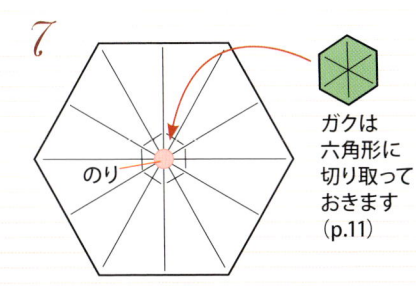
中心にのりを少しつけてガクの表を上にして貼ります。
のり
ガクは六角形に切り取っておきます（p.11）

8 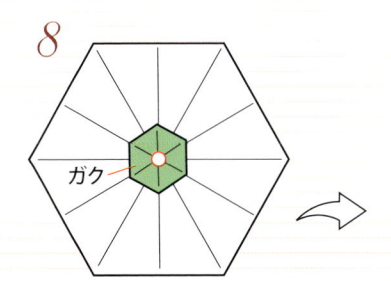
中心に千枚通しなどで穴を開けこのまま*6*のようにたたみ*9*のようにします。
ガク

9 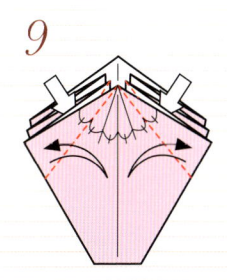
あいだを開いて両側とも上の1組のみ図の位置で折り筋をつけます。

91

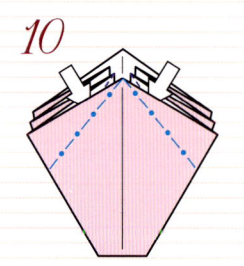

10
両側とも
あいだを開いて
内側に
折り込みます。

11
折ったところ。
残り4カ所とも
9〜10と同様に。

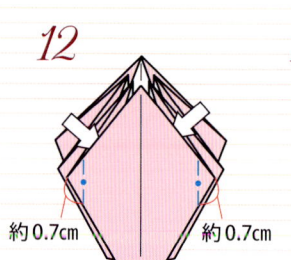

12
約0.7cm　約0.7cm

両側とも
折り筋をつけて
あいだを開いて
内側に押し込みます
(6カ所とも)。

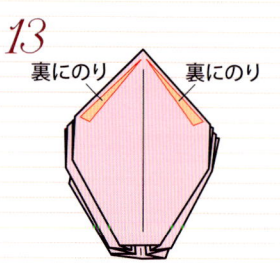

13
裏にのり　裏にのり

10で折った部分を
図のあたりで
のりづけします。

花芯を折り、花につける

花芯を折り、花につけます。

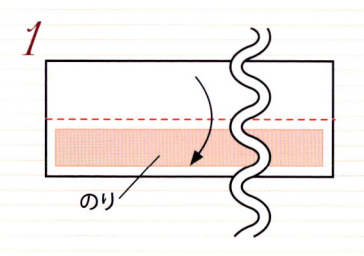

1
のり

裏を上にして半分に折り、
しっかりのりづけします。

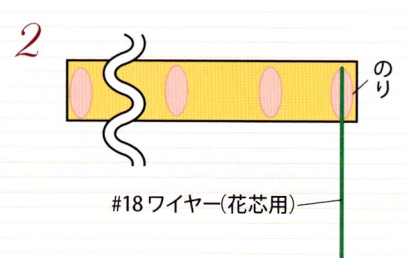

2
のり
#18ワイヤー(花芯用)

端に#18ワイヤー(花芯用)をあて、
のりをつけながら巻きます。

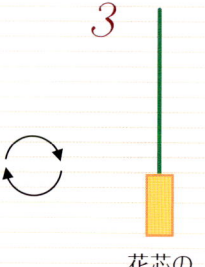

3
花芯の
できあがり。

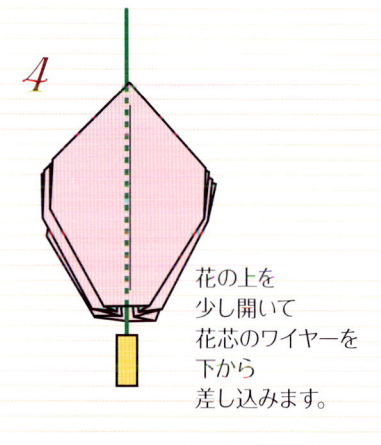

4
花の上を
少し開いて
花芯のワイヤーを
下から
差し込みます。

5
花芯を
差し込んだところ。

6
花芯が少し
飛び出すようにします。

7
ガク

内側のガクのほうから
のりづけします。

8
ワイヤーは写真のあたりで
曲げて花を下向きにします。

9
花のできあがり。

葉を折り、茎につける

葉を折り、茎につけます。

1
折り筋をつけます。

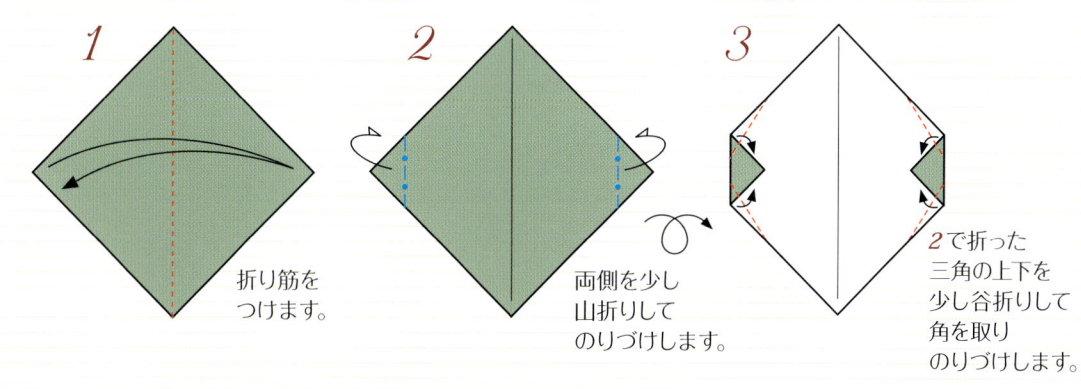

2
両側を少し山折りしてのりづけします。

3
2で折った三角の上下を少し谷折りして角を取りのりづけします。

4
のりづけしたところ。

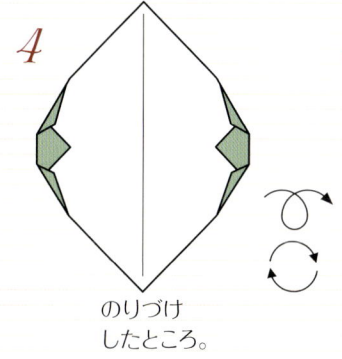

5
葉の表側の、1でつけた折り筋の上に#26ワイヤー（葉用）を置き、ボンドを多めにのせて谷折りします。

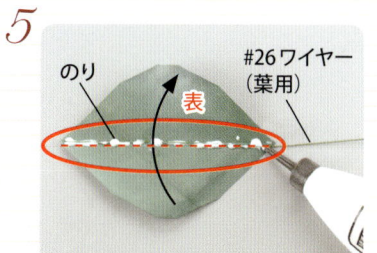

のり / 表 / #26ワイヤー（葉用）

6
ワイヤーに沿って、爪で押すようにします。

裏

7
☆を押さえて★のほうから押すようにしてヒダをつくります。自然に半円状になります。

裏

8
ヒダをつくったところ。上を開きます。

裏

9
開いたところ。葉のワイヤーに、茎用#20ワイヤー（茎用）を添えてまとめ用和紙で巻いて、のりづけします。

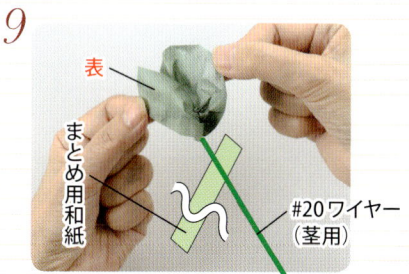

表 / まとめ用和紙 / #20ワイヤー（茎用）

10
葉のできあがり。お好みの数をつくってまとめましょう。

11
オアシスなどに花と葉を挿して、鉢カバーに入れて飾りましょう。花や葉の数はバランスを見ながら、増減しましょう。

Takako's Oribana Gallery

▶たか子の折り花ギャラリー
これまでつくってきた作品の一部を紹介します。
アイデア次第でいろいろな花がつくれます。

▶カサブランカとミヤコワスレのブーケ

▶ダリヤ

▶ヒヤシンス

▶ムラサキツユクサ

▶サザンカ

▶ハイビスカス

▶菜の花

▶リンドウ

95

著者紹介

田中 たか子　Takako Tanaka

40年間、中学校で数学、保健体育の教諭を務める。
在職中、静岡県教育委員会指導主事や管理職として、教職員の指導にも携わる。
海外教育事情視察団員として、英・仏・独・伊など5カ国を歴訪。
また、日本学校体育研究連合会表彰を受けるなど活躍。
退職後は富士市生涯学習指導員や静岡県人づくり推進員などを歴任。
折り紙を独自の感性で折り始める。
折り紙など伝承文化の普及にも努めている。
現在、日本折り紙協会講師、愛紙人形師範、おりがみ会館「四季を彩る花の折り紙」「和紙盆栽」講師。
おりがみ会館個展、世界紙芸大展（台湾）、美濃和紙会館展、南足柄資料館展などに出品。

〈お茶の水 おりがみ会館（ゆしまの小林）ホームページ〉
http://www.origamikaikan.co.jp/

※本書掲載のおりがみ作品で使われている紙については、おりがみ会館までお問い合わせください。
　（お取り扱いのない紙もあります）。
※おりがみ会館にて、田中たか子の「四季を彩る花の折り紙」「和紙盆栽」を開催中です。
　お教室は予告なく内容が変わることがあります。
　詳細はおりがみ会館までお問い合わせください（Tel：03-3811-4025）。

STAFF
編集・デザイン・DTP：アトリエ・ジャム（http://www.a-jam.com/）
作品撮影：大野 伸彦
スタイリング：オコナー マキコ
プロセス撮影：山本 高取
折り図制作・撮影協力：湯浅 信江
企画・協力：お茶の水 おりがみ会館

折り花 ORIBANA ～折り紙でつくる四季の素敵な花々～

2016年3月20日　初版印刷
2016年3月30日　初版発行

著　　者　田中たか子
発　行　者　小野寺優
発　行　所　株式会社 河出書房新社
　　　　　〒151-0051
　　　　　東京都渋谷区千駄ヶ谷2-32-2
　　　　　電話　03-3404-8611（編集）
　　　　　　　　03-3404-1201（営業）
　　　　　http://www.kawade.co.jp/
印刷・製本　三松堂株式会社

Printed in Japan
ISBN978-4-309-27702-8

落丁・乱丁本はお取り替えいたします。
本書のコピー、スキャン、デジタル化等の無断複製は著作権法上での例外を除き禁じられています。
本書を代行業者等の第三者に依頼してスキャンやデジタル化することは、いかなる場合も著作権法違反となります。